MANUAL MÉDICO
F A M I L I A R

SU GUÍA CASERA DE LA SALUD
Y LOS PRIMEROS AUXILIOS

Mervyn G. Hardinge, M.D., Dr. P.H., Ph.D.
Harold Shryock, M.A., M.D.
Con la colaboración de 28 especialistas médicos de renombre

Pacific Press® Publishing Association
Nampa, ID 83653
Oshawa, Ontario, Canadá
www.pacificpress.com

Créditos de las fotos e ilustraciones:

Páginas 39, 40   Lucille Innes.

Páginas 19, 20, 22, 24   Duane Tank.

Página 27   Duane Tank/Betty Blue

Nota: Aunque la información contenida en el *Manual Médico Familiar* está basada en conocimiento médico exacto y confiable, se la pretende únicamente como información de una naturaleza general. El *Manual Médico Familiar* no debe ser usado para la autodiagnosis de problemas médicos, ni para determinar tratamiento sin consultar con su médico. Los editores no son responsables de las decisiones que usted tome basado en el contenido del *Manual Médico Familiar*. Siempre consulte a su facultativo cuando se indica la necesidad de atención médica.

Dirección editorial: Miguel Valdivia

Foto de la tapa: Mark Vandersys

Diseño de la tapa: Dennis Ferree

Diseño y dirección artística: Robert N. Mason, Flying Moose Designs

Arte e ilustraciones: Lars Justinen, Justinen Creative Group Inc.

Ilustradores: Randy Jamison, Lars Justinen, Kevin McCain, Dan Pape

Ilustraciones a pluma: Kim Justinen

ISBN 0-8163-9431-8

01 02 03 04 05 • 5 4 3 2 1

CONTENIDO

Importantes procedimientos de emergencia

BOSQUEJO

- Respiración artificial
- Resucitación cardiopul
  monar
- Provocación del vómito
- Qué hacer en caso de
  shock
- Apósitos y vendajes
- Las hemorragias

Apréndalos antes de aplicarlos

Los sistemas de apoyo básicos del organismo son la circulación y la respiración, porque sin ellos no hay vida. Para apoyarlos eficazmente se ha creado una serie de procedimientos denominados Medidas Básicas para la Preservación de la Vida. Son las siguientes:

- **Paro respiratorio primario.** El corazón puede impulsar la sangre hasta que se agote todo el oxígeno que está presente en el torrente sanguíneo y los pulmones. En ese momento los órganos vitales: el cerebro y el corazón, dejarán de funcionar, y el corazón dejará de latir (paro cardíaco). Una persona puede dejar de respirar (paro respiratorio) por diversas causas: ahogamiento, la presencia de un objeto extraño en las vías respiratorias, asfixia, inhalación de humo, apo-

plejía, sobredosis de drogas, ataque al corazón, lesiones y coma.

- **Paro cardíaco primario.** Cuando el corazón deja de latir, la sangre no circula, y los tejidos y órganos usan en pocos segundos el oxígeno que está presente en la sangre. Entre las causas que ocasionan un paro cardíaco se encuentra un ataque masivo al corazón, fibrilación de los ventrículos y taquicardia o latidos acelerados.

A continuación se describen los procedimientos más importantes relativos a emergencias, que se necesitan de vez en cuando para dar los primeros auxilios a algún lesionado o a alguien gravemente enfermo.

1. Vías respiratorias: Compruebe si no están obstruidas.
2. Respiración: Aplique respiración artificial.
3. Circulación: Haga una compresión externa del pecho.

CAPITULO 1

Respiración artificial

Se puede aplicar aunque la respiración de la víctima no se haya suspendido totalmente, si es muy lenta y débil. Sincronice su espiración con la inspiración de la víctima.

Paso 1

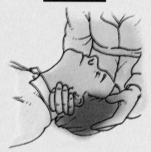

A. Ponga a la víctima de espaldas
B. Asegúrese de que no reacciona. ¿Está inconsciente?
C. Observe si hay movimiento del tórax y acerque el oído a la boca para comprobar si hay respiración.
D. Pida ayuda.

Paso 2

"Elevación del mentón". Si no hay lesión en el cuello

A. Eleve la cabeza de la víctima levantando el cuello hacia arriba con una mano mientras con la otra empuja la frente hacia abajo,
B. Tome firmemente con los dedos la lengua y el mentón de la víctima. Elimine toda sustancia extraña que haya en la boca (con los dedos y un pañuelo), y verifique si la lengua no se ha ido hacia atrás

Paso 3

Apriete la nariz de la víctima, haga una inspiración profunda, aplique firmemente su boca sobre la de la víctima y espire dos veces en rápida sucesión. Si se trata de un niño, cúbrale la nariz y la boca con su boca.

Paso 4

Aparte su boca de la cara de la víctima. Observe para ver si el pecho desciende, y escuche para verificar si sale aire. Sienta su respiración en su rostro. Si no nota nada, repita nuevamente el procedimiento, esta vez con más vigor. Si el tórax todavía no se levanta, quiere decir que hay una obstrucción en la tráquea. Si la víctima es un niño, déle un fuerte golpe en la espalda entre los hombros, y elimine de la boca todo lo que pueda obstruir. Si la víctima es un adulto, haga la maniobra de Heimlich.

Paso 5

Continúe soplando aire cada cinco segundos en los pulmones de la víctima (de 12 a 14 veces por minuto), hasta que se restablezca la respiración normal o hasta que llegue ayuda.

*Precaución: Cuando le dé respiración boca a boca a bebés o a niños de poca edad, recuerde que su capacidad pulmonar es reducida. **No infle excesivamente los pulmones del niño**. Exhale sólo el aire que tiene en la boca. Hágalo con suavidad y observe si el tórax del niño se levanta y desciende. Si las vías respiratorias están obstruidas, levante al bebé por los pies y déle golpes suaves en la espalda entre los hombros.*

Resucitación cardiopulmonar

Paso 1

Asegúrese de que la víctima no reacciona, es decir, que está inconsciente: observe, escuche y verifique.

Paso 2 Pida ayuda.

Cuando el corazón deja de latir, la circulación de la sangre se detiene, y poco después se interrumpe la respiración. Una medida de emergencia llamada resucitación cardiopulmonar ha salvado muchas vidas y se la practica ahora comúnmente. Todos deberían aprender a aplicar este procedimiento. Muchos hospitales y la Cruz Roja ofrecen programas de entrenamiento para el público en cuanto a la resucitación cardiopulmonar. A continuación resumimos este procedimiento, sin la intención de dar todos los detalles que podrían capacitar al lector para convertirse en un experto en resucitación cardiopulmonar.

Cuando hay dos operadores disponibles, uno puede administrar respiración artificial mientras el otro resucita el corazón. Pero podría ser que un solo operador conozca el procedimiento. Las personas no entrenadas deberían aplicar sólo una técnica de resucitación.

Paso 3 Ponga a la víctima de espaldas sobre una superficie firme, como ser el piso. Los brazos deberían estar paralelos al cuerpo, y la cabeza un poco por debajo del tórax. **Nota: Si sospecha que hay una lesión en la columna o en el cuello, evite moverlo para colocarlo en la posición requerida.**

Paso 4 Mueva la cabeza de la víctima hacia atrás, y empuje el cuello hacia arriba con una mano. Esto levantará el mentón y abrirá las vías respiratorias. Límpiele la boca de toda materia extraña

Paso 5 Aplíquele dos espiraciones rápidas.

Paso 6 Verifique el pulso de la víctima.

Paso 7 En los adultos, ponga un dedo en el extremo inferior del esternón. Coloque la base de la palma de una mano a unos 2,5 cm por encima del dedo que está en el esternón. Entonces retire ese dedo y ponga la mano en el dorso de la otra. Mantenga los brazos derechos mientras se arrodilla en ángulo recto con respecto a la víctima.

Paso 8 Empuje directamente hacia abajo para comprimir en forma suave y regular el tórax del adulto unos 4 cm. Entre cada compresión, mantenga las manos en contacto leve con el tórax, de modo que sus dedos no toquen la piel. Haga 80 compresiones por minuto, es decir, poco más de una por segundo.

Paso 9 Despues de 15 compresiones, inclinase hacia adelante, eche hacia atrás la cabeza de la víctima y aplíquele dos espiraciones completas en cuatro segundos.

Paso 10 Después de cada minuto o dos, tómele el pulso a la víctima (preferiblemente en el cuello) y verifique durante cinco segundos si respira. Observe si se levanta el tórax, escuche el sonido de la respiración y siéntala en su cara. Comience cada ciclo con dos espiraciones.

Evaluación: Si comprueba que la víctima respira y que su pulso es bueno, siga controlando ambas cosas periódicamente, y solicite ayuda. Si sólo encuentra pulso, déle respiración boca a boca. Si no hay pulso, comience la resucitación cardiopulmonar. Continúe hasta que llegue ayuda o hasta que no pueda más. Si hay que mover a la victima, no suspenda la resucitación por más de 15 segundos.

Precaución: En el caso de bebés y niños pequeños, la fuerza de la compresión no debe dañar el corazón ni fracturar las costillas. En los bebés, la presión debe ser suave, y debe ser aplicada con los extremos de los dedos índice y medio. En niños de ocho a diez años, aplique la presión con la parte inferior de la base de la palma de una sola mano.

Resucitación cardiopulmonar en infantes y niños pequeños. Advierta la ubicación del extremo del esternón y la forma como el operador ejerce presión sobre el pecho utilizando únicamente el dedo índice y el medio.

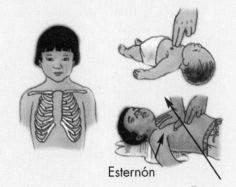

Esternón

Extremo del esternón

Provocación del vómito

El vómito puede ser un recurso para eliminar del estómago sustancias tóxicas ingeridas (si se lo induce dentro de 30 minutos).

Precaución: No se recomienda inducir el vómito cuando la persona se encuentra inconsciente o ha ingerido un ácido, un álcali fuerte o productos derivados del petróleo.

Paso 1: Si es necesario, coloque a la víctima de manera que el vómito fluya libremente fuera de la boca y ésta no lo inhale.

Paso 2: Déle a la víctima jarabe de ipecacuana: una cucharada sopera para los niños; dos cucharadas soperas para los adultos. Déle después dos o más vasos de agua o leche. Si el vómito no se produce al cabo de 15 minutos, estimule la parte posterior de la garganta de la víctima con un dedo o con el extremo romo de una cuchara, tenedor o cuchillo.

Antes de aplicar cualquier procedimiento relativo a emergencias, debe haber una evaluación del estado de la víctima, que comprende lo siguiente:

1. Reacción - ¿Está consciente?
2. Respiración- ¿Respira?
3. Pulso - ¿Late el corazón?

Qué hacer en caso de shock

El shock puede ser el resultado de diversas causas, incluso de un ataque al corazón, de lesiones graves, de infecciones agudas, de envenenamientos, de hemorragias, de reacciones alérgicas, de mordeduras de serpientes y de quemaduras. En el shock se produce un colapso repentino del sistema circulatorio, lo que impide que reciban oxígeno los órganos vitales del cuerpo: el cerebro, los riñones, el corazón y los vasos sanguíneos Si no se atiende esta situación inmediatamente, el funcionamiento de esos órganos continuará deteriorándose hasta que el daño se convierte en irreversible. A continuación presentamos tres grandes causas de shock y qué se puede hacer en cada caso:

El corazón deja de bombear suficiente sangre; esto sucede en caso de un infarto, de insuficiencia cardiaca o paro cardiaco (shock cardiogénico).

Hay poca sangre en las arterias y las venas, lo que imposibita que el cuerpo mantenga la presión sanguínea. Puede ser el resultado de lesiones, hemorragia intensa, quemaduras o diarreas (choque traumático o hipovolémico).

Los vasos sanguíneos experimentan un colapso, de manera que se dilatan más de lo debido. La sangre se acumula, de modo que no hay sangre suficiente para mantener la circulación. Esto se observa en infecciones y en reacciones alérgicas graves (shock anafiláctico o distributivo).

Los síntomas comunes del shock son debilidad generalizada, transpiración, piel húmeda, pulso débil, respiración rápida y superficial (disnea) e intranquilidad. Cuando empeora se produce confusión mental, letargo, sopor e inconsciencia. La temperatura desciende y finalmente se produce la muerte.

Apósitos y vendajes

Las emergencias frecuentemente implican lesiones de la piel y los huesos. Un apósito (llamado también compresa) generalmente es un trozo de tela, y se aplica directamente sobre la herida. Aunque se consiguen apósitos esterilizados (sin gérmenes) en el comercio, en una emergencia se puede usar cualquier tela y hasta papel, con tal de que estén relativamente limpios. Hasta papel higiénico se puede usar.

El objeto de un apósito es controlar la hemorragia, impedir la contaminación, absorber sangre o secreciones y calmar el dolor.

Una venda es un trozo de tela u otro material que se envuelve alrededor del apósito para mantenerlo en su lugar. Las vendas también se usan al entablillar un miembro para impedir que se mueva. Las vendas adhesivas (curitas) son un ejemplo de una combinación de apósito y venda. Las vendas de gasa esterilizada de diferentes tamaños se utilizan para ejercer una firme presión sobre los tejidos subyacentes a fin de controlar una hemorragia.

Las vendas deben ser ajustadas, pero no tanto que restrinjan la circulación de la sangre. Después de aplicar una venda a una pierna, un brazo o un dedo, verifique si la zona situada más allá de la venda se mantiene tibia, y cuando sea posible tome el pulso. Si la herida se hincha, el vendaje puede estar muy apretado y se lo debería aflojar.

Las vendas deben mantenerse en su lugar. La venda que envuelve un miembro o la cabeza puede conservarse en su sitio con alfileres de gancho, o si se trata de un trozo de tela, puede rasgarse en el extremo y atarse. Una venda también se puede fijar directamente a la piel por medio de tela adhesiva.

Las vendas se encuentran en una variedad de formas y tamaños, y deben aplicarse cuidadosamente para que se adapten al contorno de las diferentes partes de la cabeza, el cuerpo o las extremidades. Las vendas comunes incluyen

Cómo tratar el shock

1 Paso 1: Verifique la circulación y la respiración de la víctima, y si es necesario adminístrele los procedimientos de emergencia para mantener la vida. Atienda las hemorragias.

2 Paso 2: Acueste a la víctima, y si otras circunstancias (lesiones) lo permiten, levántele los pies y las piernas a unos 30 cm de altura.

3 Paso 3: Mantenga a la víctima bien abrigada para impedir la pérdida del calor del cuerpo.

4 Paso 4: Procure ayuda médica, o lleve a la víctima al servicio de emergencia de un hospital.

5 Paso 5: Si la víctima puede cooperar, anímela a tomar agua (a menos que esté vomitando) o, si dispone de ella, una solución de sal y soda (sal, una cucharadita de té, o sea 4 g., soda, media cucharadita de té, o sea 2 g., disueltos en un litro de agua).

Aplicación de vendajes en la mano.

la gasa esterilizada que viene en rollos, las vendas elásticas y la venda triangular (que puede ser un trozo cuadrado de tela doblado en diagonal). La venda de gasa y también la elástica permiten su aplicación ajustada para seguir el contorno de los miembros. Se puede usar como cabestrillo una venda triangular para sostener un brazo (véanse las ilustraciones adjuntas).

La aplicación de vendajes es un arte que hay que aprender. El lector puede obtener un folleto ilustrativo en la Cruz Roja, y practicar el arte de vendar las diversas partes del cuerpo con diferentes clases de vendas. Si lo hace, estará mejor preparado para hacer frente a una emergencia.

Las hemorragias

Las hemorragias internas y externas son problemas que amenazan la vida y que requieren atención inmediata para impedir que se produzca la muerte. Las hemorragias internas requieren atención médica profesional, de modo que lo único que Ud. podrá hacer en ese caso será observar y administrar los primeros auxilios en caso de shock (véase la pág. 10). Hay varias maneras de detener la hemorragia externa, según sea la naturaleza de la herida y su ubicación. (Con excepción del torniquete, que describimos más abajo, los detalles acerca de cómo controlar una hemorragia aparecen en la pág. 44.)

El torniquete casi nunca es necesario, puesto que la presión directa ejercida sobre la arteria más cercana al lugar de la hemorragia (más cerca del corazón) debería ser suficiente para detener el flujo de sangre. Si se aplica el torniquete, debería ser únicamente en el caso de que la hemorragia amenace la vida de la persona, porque si no llega sangre a las extremidades, éstas corren peligro de ser objeto de una amputación.

El material requerido para un torniquete es una venda ancha de 5 a 10 cm, o un trozo de sábana doblado varias veces. Déle dos vueltas al trozo de tela alrededor del brazo o la pierna que sangra, por encima de la herida, es decir, entre la herida y el corazón, y hágale un nudo. Luego ponga sobre el nudo un trozo de madera corto u otro objeto similar, y haga dos nudos más sobre ese trozo de madera. Haga girar entonces la madera con la tela para que ajuste el torniquete. Es mejor sacar el torniquete sólo cuando lo indique el médico.

Escriba una nota indicando la ubicación del torniquete y la hora cuando lo aplicó. Préndala a la ropa del paciente o déjela junto a él, donde se la pueda encontrar con facilidad. Use tinta indeleble, un lápiz y hasta lápiz labial si hace falta.

La Cruz Roja suele publicar folle-

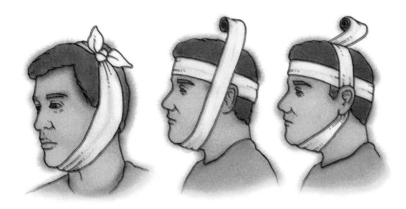

Vendaje de la cabeza y el cuero cabelludo.

Cabestrillo.

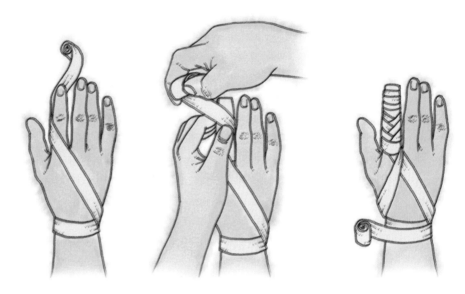

**Vendaje del dedo
y el tobillo.**

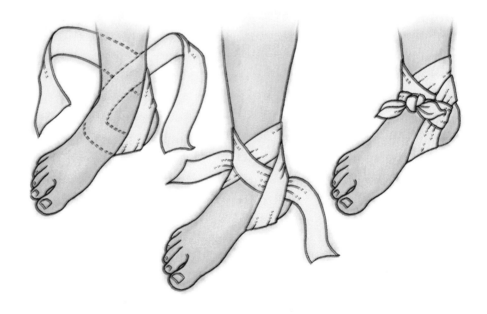

tos que describen exactamente lo que se debería hacer cuando surgen emergencias. Sería bueno que en todos los hogares hubiera uno de esos folletos para poder consultarlo cuando haga falta.

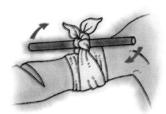

Los cuatro pasos que se deben dar para aplicar un torniquete. Este sólo se debe usar cuando la hemorragia pone en peligro la vida del accidentado.

Los envenenamientos

En Norteamérica se producen millones de envenenamientos cada año, que causan más de 6.000 muertes, el 80% de los cuales recae en niños de uno a cuatro años de edad. Los medicamentos que se suelen encontrar en cualquier parte en el hogar son una causa común de este mal. La aspirina y las medicinas que contienen hierro son los más frecuentes. Los pesticidas e insecticidas también cobran su cuota de muertes. Los ancianos no son inmunes a esto, puesto que se suelen olvidar de que ya tomaron sus medicinas, de manera que se envenenan por sobredosis. El uso tan común de alucinógenos provoca frecuentes fallecimientos.

Afortunadamente, las muertes producidas por envenenamientos accidentales se han reducido notablemente en años recientes como resultado de la difusión del conocimiento acerca de los primeros auxilios, de la intervención rápida y eficaz de los médicos en general, y de la fundación en las grandes ciudades de centros de control de tóxicos. Los niños pequeños corren mucho peligro puesto que los botiquines y armarios de nuestros hogares están repletos de medicinas, cosméticos, detergentes, desmanchadores, solventes, insecticidas, pesticidas y fertilizantes. En todos los hogares se debería disponer de un lugar especial que proteja a los niños inocentes de la posibilidad de envenenarse.

BOSQUEJO

- Primeros auxilios en caso de envenenamiento
- Sea precavido
- Venenos específicos
- Cinco procedimientos importantes

Primeros auxilios en caso de envenenamiento

La llamada de emergencia. Cuando sospeche que Ud. mismo u otra persona ha ingerido un tóxico, llame inmediatamente a un médico, al departamento de emergencia de los bomberos o al centro de control de tóxicos más cercano.

Si Ud. es la persona que dará los primeros auxilios mientras llega el médico, procure que otro haga la lla-

mada. Dé el nombre, la dirección, el número telefónico y la ubicación exacta de la víctima. Proporcione tanta información como pueda acerca de la naturaleza del veneno, incluyendo su nombre, y si tiene el envase o el frasco, mencione también el antídoto sugerido en ellos.

Observe cuidadosamente a la víctima a fin de informar acerca de

CAPITULO 2

Siete importantes reglas de seguridad

Sea Precavido

La Asociación Médica Norteamericana recomienda lo siguiente, que también es bueno para América Latina:

1 Mantenga todos los medicamentos, sustancias tóxicas y productos químicos fuera del alcance de los niños. (Recuerde que pueden trepar.)

2 No guarde productos no comestibles en el mismo lugar donde almacena los alimentos.

3 Conserve todas las sustancias tóxicas y los medicamentos en sus envases originales; no los transfiera a frascos sin etiqueta.

4 Cuando descarte un medicamento, destrúyalo. No lo arroje donde pueden encontrarlo los niños, los gatos o los perros. Échelos en el inodoro cuando sea posible, y haga correr el agua.

5 Cuando dé a los niños medicamentos con sabor agradable o de colores brillantes, dígales claramente que se trata de medicinas, y no de golosinas.

6 No administre ni tome medicinas a oscuras.

7 Lea las etiquetas antes de usar productos químicos.

los síntomas que manifiesta, que podrían ayudarle al personal de socorro o al médico para que le den a Ud. las indicaciones adecuadas. Preste especial atención a lo que sigue: la piel de la víctima: si está seca o húmeda, fría o viscosa, rojiza o azulada; la clase y la frecuencia de su respiración; si vomita o si tiene diarrea; si siente dolor, y en caso positivo, en qué lugar; y su condición mental: si está confundido, consciente o inconsciente, o si tiene convulsiones. Pida instrucciones para atender a la víctima hasta que llegue el equipo de socorro o el médico, o mientras lo lleva al servicio de emergencia de un hospital.

Venenos inyectados a través de la piel. Esto incluye mordeduras o picaduras de animales (perros, gatos, ardillas, murciélagos), reptiles (serpientes), e insectos (arañas, abejas, avispas). (Véanse las págs. 32-38.)

Envenenamiento por contacto con la piel. Muchos productos químicos no sólo dañan la piel, sino que además pueden ser absorbidos y pasar al torrente sanguíneo y así afectar a otros órganos. (Véanse las págs. 22, 23.)

Envenenamiento por inhalación. Cuando una persona ha inhalado algún gas tóxico (por ejemplo, monóxido de carbono) hay que sacarla al aire libre y administrarle respiración artificial si es necesario. (Véase la pág. 6.)

Envenenamiento por ingestión. EN TODOS los casos solicite ayuda médica profesional. Reúna toda la información posible acerca de la sustancia tóxica, incluyendo el envase, la etiqueta, el residuo del veneno y el vómito que se haya producido.

SECCIÓN DOS: La atención médica en el hogar

Los dos objetivos que debe lograr el tratamiento cuando hay envenenamiento son **reducir los efectos del daño** y, si es posible, **eliminar el veneno.** Dilúyalo con agua o leche. Si la sustancia no es corrosiva y la víctima está consciente, debería inducirse el vómito. Pero si la sustancia ingerida quemó al ser tragada, también quemará al salir; en este caso no conviene inducir el vómito.

Venenos específicos

Agentes corrosivos: ácidos y álcalis fuertes:

No provoque el vómito. Los corrosivos son los ácidos fuertes (ácido de batería, compuestos para soldaduras, limpiadores de inodoros), álcalis fuertes (lejía, amoniaco, detergentes para lavaplatos, limpiadores de hornos). Producen daños graves en la boca, el esófago y el estómago, con dolores insoportables y rápido estado de shock. Lleve a la víctima inmediatamente al servicio de emergencia de un hospital.

Derivados del petróleo:

No provoque el vómito. Los derivados del petróleo y afines que se suelen encontrar en el hogar o en el garaje son la gasolina (nafta), el querosén, el benceno, la trementina, los diluyentes, los líquidos para pulir muebles, los solventes de lacas y el tetracloruro. Todas estas sustancias deberían utilizarse en ambientes bien ventilados. La aspiración de líquidos usados en tintorerías, o tetracloruro, es sumamente tóxica para el hígado. Las víctimas que han ingerido alguno de estos productos sufren fuertes dolores y gran incomodidad. Si se los vomita y se los inhala, se puede producir una grave pulmonía provocada por sustancias químicas. Lleve inmediatamente a la víctima al servicio de emergencia de un hospital.

Cuando alguien inhala alguna de estas sustancias vólatiles, rápidamente pasa a la sangre. Los muchachos aspiran a veces ciertas colas, solvente de laca, barniz para las uñas y fluido para encendedores, a fin de experimentar una breve embriaguez. Pero estas sustancias dañan el corazón, los pulmones y el hígado, y si no son fatales, pueden perjudicar permanentemente esos órganos vitales.

Alcohol (alcohol etílico; alcohol para bebidas):

Procure ayuda médica. Los síntomas del envenenamiento por sobredosis aguda o abuso prolongado de alcohol van desde un sueño profundo, en el que el pulso y la respiración son

Muchos limpiadores domésticos son muy venenosos

19

buenos, hasta el shock y el estado de coma. En esta condición la piel está fría y viscosa, el pulso es débil y la respiración irregular. La muerte se produce por falla respiratoria. Mantenga bien abrigada a la víctima, verifique que sus vías respiratorias están expeditas, y si es necesario dé respiración boca a boca. Si la víctima está consciente, provoque el vómito.

Alcohol (alcohol metílico; alcohol de madera):

Procure ayuda médica. El alcohol de madera se encuentra en algunas pinturas, y diluyentes y removedores de pinturas. La ingestión de alcohol metílico produce intoxicación, con dolor de cabeza, dolor abdominal, náuseas, vómitos y, debido a su efecto sobre el nervio óptico, ceguera permanente. Si la víctima está consciente, provoque el vómito. Si deja de respirar, déle respiración artificial.

Los anticongelantes y los diluyentes y removedores de pinturas contienen glicol etilénico, los cuales, si no hay intervención médica inmediata, pueden ocasionar paro respiratorio.

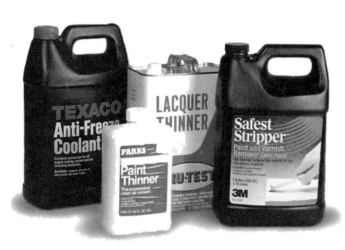

Anticongelante (glicol etilénico):

Procure ayuda médica. El glicol etilénico se utiliza mucho en la industria como solvente, y en estado puro como anticongelante para autos. Es un liquido dulzón, incoloro y tiene el aspecto de un jarabe. Cuando se ingiere produce una especie de embriaguez (sin olor a licor en el aliento), que puede desembocar en un paro respiratorio y en la muerte. Si el envenenamiento se descubre a tiempo, provoque el vómito.

Puesto que la enzima que desdobla el glicol etilénico también destruye el alcohol, al que prefiere, es bueno darle a la víctima cantidades suficientes de bebidas alcohólicas para mantenerla ebria, a fin de protegerle los riñones y salvarle la vida. La mayor parte del glicol etilénico no se desdobla y en cambio se lo elimina, de manera que es menos tóxico que sus subproductos.

Productos medicinales y drogadicción:

Procure ayuda médica. Hay muchisimas sustancias químicas de esta clase. Aunque cada una de ellas tiene efectos específicos sobre el cuerpo, muchas se pueden agrupar para efectos de clasificación. Se las puede clasificar como sedantes (barbitúricos: seconal, nembutal, dolamina y halsión); narcóticos (morfina, codeina, paregóricos, heroina, demerol); estimulantes (anfetaminas, cocaina, crack, cafeína); tranquilizantes (librium, haldol, valium); y antihistaminas (clorotrimetón, benadril).

Cinco procedimientos importantes

1. **Cuando la víctima está inconsciente.** Si es necesario, déle respiración artificial (véase la pág. 6). **No dé líquidos ni trate de inducir el vómito.** Si éste ocurre espontáneamente, dé vuelta a la víctima para que el vómito se expulse con facilidad, y consérvelo para que sea examinado después.

2. **Cuando la víctima está inconsciente.** Si es necesario, déle respiración artificial (véase la pág. 6). **No dé líquidos ni trate de inducir el vómito.** Si éste ocurre espontáneamente, dé vuelta a la víctima para que el vómito se expulse con facilidad, y consérvelo para que sea examinado después.

3. **Cuando la víctima ha ingerido un corrosivo.** Son los ácidos o álcalis fuertes como el ácido para baterías, los compuestos para soldar, la soda cáustica, la lejía, los limpiadores de inodoros y los detergentes para lavaplatos. **No provoque el vómito.** El daño se produce en la boca y el esófago. Dé a la víctima un vaso de leche o agua. La crema, la clara de huevo y el hielo granizado también son buenos.

4. **Cuando el veneno le produce convulsiones a la víctima.** No trate de impedir los movimientos; en cambio, proteja a la víctima de daños adicionales. Afloje la ropa alrededor del cuello. No le meta los dedos en la boca porque podría morderlo. **No dé líquidos ni trate de provocar el vómito.** Si éste ocurre espontáneamente, gire la cabeza de la víctima para que salga sin dificultad, y guárdelo a fin de que sea examinado después.

5. **Cuando la víctima está consciente, NO tiene convulsiones y NO ha ingerido un derivado del petróleo o un corrosivo.** Dé los siguientes pasos: (1) Diluya el veneno en el estómago de la víctima dándole leche o agua. (2) Provoque el vómito para vaciar el estómago, y guárdelo. (3) Si dispone de carbón activado, déselo para que absorba el resto del veneno.

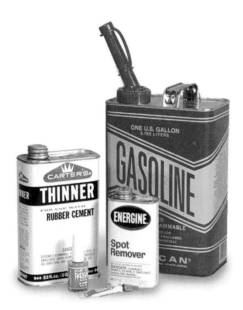

Los productos de petróleo contienen tetraclorido de carbón, que es altamente tóxico para el hígado.

Los síntomas que se pueden observar son los siguientes: con los sedantes, los narcóticos, los tranquilizantes y las antihistaminas: disminución de la agilidad mental, un sueño que desemboca en coma y paro respiratorio; en el caso de los estimulantes: hiperactividad, agilidad mental, confusión, alucinaciones, ilusiones y conducta antisocial.

Procure en primer lugar ayuda médica. Si falla la respiración, lo que ocurre cuando la sobredosis es fuerte, dé respiración boca a boca. Mantenga bien abrigada a la víctima. Si está excitada, trate de que no se haga daño ni perjudique a los demás.

La aspirina y el hierro son las causas más comunes de envenenamiento entre los niños. Los síntomas aparecen lentamente en ambos casos. **La aspirina** puede producir vómitos, sudor, fiebre, confusión mental, inconsciencia y convulsiones. **El hierro,** por causa de su acción corrosiva sobre el tracto digestivo, produce vómitos, diarrea, dolor abdominal, cianosis (piel azulada) y shock. **Procure ayuda médica inmediatamente.**

El yodo y los preparados que lo contienen (betadina) se utilizan comúnmente como antisépticos para lesiones menores y magulladuras de la piel. Cuando se los ingiere, la víctima puede tener náuseas, vómitos, dolor al orinar, sangre en las deposiciones y a veces convulsiones. La boca está manchada de color pardo (marrón) y el vómito es amarillo o azul.

Procure ayuda médica. Dé liquidos en abundancia: leche, agua de cebada, una solución con almidón o una mezcla ligera de agua y harina. Provoque el vómito.

Depilatorios

Los depilatorios contienen comúnmente acetato de talio, que es sumamente tóxico; o bien sulfito de bario y sulfito de sodio, que son moderadamente tóxicos. Los niños que ingieren estos productos son las víctimas más comunes. Los síntomas, que aparecen varias horas después, incluyen dolor abdominal, vómitos y diarrea, que puede ser sanguinolenta. El daño causado al sistema nervioso produce síntomas inusitados, como ser la caída de los párpados (uno o ambos), ojos cruzados, parálisis facial y hasta delirio y convulsiones. El hígado y los riñones también reciben daños

Procure ayuda médica. Si la víctima no ha vomitado, déle varios vasos de leche y provoque el vómito. Déle mucha agua para reducir el daño causado a los riñones. Mantenga bien abrigada a la víctima, evite que se produzca el shock, y llévela al hospital.

Pesticidas

Los pesticidas abarcan una gran cantidad de compuestos que general-

Se debe buscar ayuda médica inmediata para las víctimas de envenenamiento por pesticidas.

paratión, EPN, TEPP y OMPA.

Los síntomas de envenenamiento por compuestos orgánicos clorados incluyen dolor en las extremidades, irritabilidad, confusión mental, espasmos musculares, convulsiones e inconsciencia. Si el tratamiento no se da a tiempo, pueden producirse daños en el cerebro y en el hígado. Los síntomas de envenenamiento con compuestos fosforados incluyen mareos, opresión en el pecho y pupilas reducidas. Unas dos horas después se producen náuseas, vómitos, calambres abdominales, diarrea y espasmos musculares. Luego pueden producirse convulsiones, inconsciencia y muerte.

Procure ayuda médica. Use guantes de goma para sacar la ropa contaminada. Lave con agua y

Aunque cada producto médico tiene sus propios efectos sobre el cuerpo, muchos pueden ser agrupados como sedantes, narcóticos, estimulantes, tranquilizantes o antihistamínicos.

mente son sumamente tóxicos y que se encuentran por lo común en el garaje, la despensa o el establo. El envenenamiento con pesticidas se puede producir de tres maneras. Puesto que se los aplica como polvos o líquidos pulverizados, se los puede inhalar de las dos maneras. Pueden ponerse en contacto con la piel, que los absorbe rápidamente. También se los puede ingerir. Matan a los insectos trastornando ciertos procesos vitales (enzimas), y pueden producir trastornos similares en los seres humanos.

La mayor parte de los pesticidas que se usan en la actualidad pueden clasificarse en dos grupos: (1) **los compuestos orgánicos clorados,** como el aldrin, el exacloruro de benceno, el clordane, DDE, DDE, DFDT, dieldrin, heptacloro, lindano, metoxicloro y toxafene; y (2) los compuestos órganicos fosforados, como malatión,

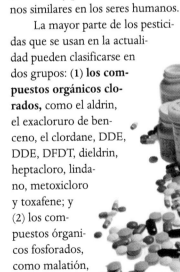

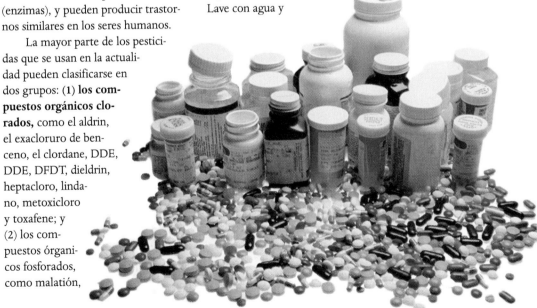

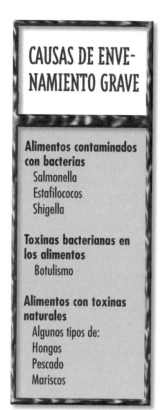

CAUSAS DE ENVE-NAMIENTO GRAVE

Alimentos contaminados con bacterias
Salmonella
Estafilococos
Shigella

Toxinas bacterianas en los alimentos
Botulismo

Alimentos con toxinas naturales
Algunos tipos de:
Hongos
Pescado
Mariscos

En muchos garajes, almacenes o graneros pueden encontrarse pesticidas, los que incluyen un gran grupo de compuestos altamente tóxicos.

jabón todas las partes de la piel expuestas al pesticida. Si la víctima está consciente, déle varios vasos de agua tibia y provoque el vómito. Si falla la respiración, dé respiración boca a boca. Existen antídotos, pero los debe prescribir un médico.

La nicotina, conocida también en algunos lugares como "hoja negra 40", es un pesticida de jardín muy común. La absorción de esta sustancia es muy rápida. Es extremadamente tóxica. Impide la transmisión de los impulsos nerviosos y causa la muerte por paro cardiaco o respiratorio. La víctima siente como una quemadura en los órganos digestivos superiores, y también puede haber convulsiones.

Procure ayuda médica. Si la víctima está consciente, provoque el vómito. Déle carbón activado, y si no lo tiene, un té bien cargado. Si deja de respirar, déle respiración artificial. Si se produce un paro cardiaco, aplique resucitación cardiopulmonar. La atropina puede salvarle la vida, pero la debe administrar un médico.

Insecticidas y venenos para ratas:

Las sustancias que se usan para matar ratas incluyen fósforo, arsénico, cianuro, estricnina y uarfarina. Muchos de los aerosoles utilizados para matar moscas, avispas, mosquitos y hormigas, contienen productos provenientes de la destilación del petróleo.

El arsénico es también un ingrediente activo de los

insecticidas y ciertos herbicidas. Los primeros síntomas son parecidos a los del envenenamiento por alimentos, con vómitos, diarrea y fuertes calambres abdominales. Después aparecen calambres musculares, insuficiencia renal, inconsciencia, convulsiones y colapso.

Procure ayuda médica. Si el envenenamiento se descubre a tiempo, provoque el vómito. El médico administrará dimercaprol (DAL), un tratamiento eficaz.

El fósforo, actualmente declarado ilegal en la fabricación de venenos para ratas y cucarachas, está presente en muchos fuegos de artificio y produce quemaduras en la boca, el esófago y el estómago, con náuseas, vómitos y diarrea. El aliento tiene olor a ajos. El daño que causa al hígado y los riñones es extremo.

Procure ayuda médica. No le dé a la víctima sustancias aceitosas ni grasosas. Si

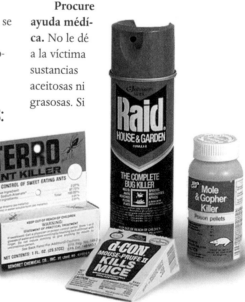

Víctima de envenenamiento

```
                    Víctima de envenenamiento

         Consciente                        Inconsciente

                              Respirando         Sin respirar

                                              Comience respiración artificial

              Pida ayuda (ambulancia)

   Dé líquidos              El paciente comienza   El paciente sigue
                            a respirar             sin respirar

         Coloque en una posición cómoda       Continúe la respiración artificial

         Observe cuidadosamente hasta que llegue ayuda
```

ha habido contacto con la piel, lávela cuidadosamente. Mantenga abrigada a la víctima y si es necesario hágale respiración artificial. Es posible que en el servicio de emergencia del hospital le laven el estómago con sulfato de cobre o permanganato de potasio.

El cianuro. El envenenamiento con cianuro se puede producir al ingerir preparados con cianuro, inclusive productos para pulir plata, si se inhalan sus vapores o si se los absorbe por medio de la piel. Esta sustancia es de acción sumamente rápida; bloquea la absorción del oxígeno y produce paro respiratorio y convulsiones En dosis menores dificulta la respiración, y produce confusión, vomitos y diarrea.

Procure ayuda médica. Provoque el vómito inmediatamente introduciendo un dedo en la garganta de la víctima. Si dispone de ampollas de nitrito de amilo (que se usan para aliviar calambres cardiacos), rompa una y consiga que la víctima aspire el vapor. Repita el procedimiento al cabo de dos minutos. Si la víctima llega a tiempo al servicio de emergencia, pueden salvarle la vida aplicándole tiosulfato de sodio por vía intravenosa.

La estricnina causa contracciones musculares que provocan violentas convulsiones. La muerte se produce generalmente por la imposibilidad de respirar causada por los prolongados espasmos musculares. No existe un antídoto especifico.

Procure ayuda médica. Mantenga a la víctima tranquila, en una habitación oscura. Puede administrársele un anestésico o algún compuesto con curare

nistrarle carbón activado Puede practicársele un lavado de estómago y administrársele carbón activado. Podria ser necesario practicarle respiración artificial.

Las cumarinas reducen la cualidad que tiene la sangre de coagularse, y administradas en grandes dosis produce hemorragias internas. Los roedores, envenados con cumarinas, sangran por dentro y se deshidratan.

Procure ayuda médica. Si se descubre a tiempo el envenenamiento,

Pasos en la atención de una víctima de envenenamiento

Cada año unos dos millones de casos de infección por Salmonella ocurren en los Estados Unidos. Se propaga por medio de pollos infectados, huevos, leche sin pasteurizar y la carne.

provoque el vómito. En el servicio de emergencia se le administrará por vía oral un producto con vitamina K, y también por vía intravenosa si hace falta. En las situaciones críticas una transfusión total de sangre podría salvarle la vida.

Envenenamiento por alimentos:

La intoxicación por alimentos se produce por (1) comer alimentos contaminados por bacterias tóxicas, (2) comer alimentos que contienen una toxina de origen bacteriano, o (3) comer un alimento que contiene naturalmente algunas sustancias tóxicas.

Toxinas de origen bacteriano. Existe una enfermedad llamada **botulismo** causada por una toxina producida por un germen que con frecuencia se encuentra presente cuando no se han envasado los alimentos como corresponde, o cuando se los ahúma o se los conserva sin cocinar. Ejemplos de esto son las verduras envasadas, las fetas de pavo, y los pescados salados y secados al aire. La toxina en cuestión interrumpe las conexiones nerviosas. Los síntomas, que se presentan 18 horas después

de la ingestión de los alimentos, incluyen trastornos de la visión y dificultad para hablar y tragar por causa de la debilidad de los músculos. Si no se trata esta intoxicación, la parálisis de los músculos de la respiración causa la muerte en el 70 por ciento de las víctimas.

Procure ayuda médica. Podría ser necesaria la respiración artificial. Se debería hospitalizar a la víctima. Existe un antídoto que podría salvarle la vida.

Alimentos tóxicos. Hay ciertas variedades de hongos que contienen sustancias sumamente tóxicas. Los síntomas, que se presentan varias horas después de la ingestión de los hongos, incluyen vómitos, dolores abdominales, diarrea y una postración que progresivamente llega al shock, las convulsiones, la inconsciencia y la muerte en alrededor de la mitad de los casos.

Procure ayuda médica. Si se descubre a tiempo la intoxicación, y si los vómitos todavía no se han presentado, provóquelos. Se debería hospitalizar a la víctima a fin de que le administren un tratamiento adecuado para el shock y el paro respiratorio, si se producen.

El monóxido de carbono:

Cada año se producen en los Estados Unidos unos 10.000 casos de envenenamiento por monóxido de carbono. De éstos, uno de cada siete muere accidentalmente, y uno de cada cuatro son suicidios. El monóxido de carbono está presente en los gases que salen por el tubo de escape de los autos (reducidos muchísimo por los convertidores catalíticos), cuando se produce en alguna parte una combus-

tión deficiente, cuando hay estufas mal ventiladas (tanto de gas como de leña) y en el humo. Este gas es incoloro e inodoro. La afinidad de la hemoglobina con el monóxido de carbono es 200 veces mayor que con el oxígeno. No sólo desplaza al oxígeno de esta proteína pigmentada, sino que demora la distribución del oxígeno en los tejidos. La muerte se produce por falta de oxígeno.

Los síntomas pueden presentarse gradualmente con dolores de cabeza, desmayos, mareos, debilidad, dificultad para respirar y vómitos, seguidos de colapso y pérdida del conocimiento (coma). La exposición a concentraciones elevadas produce inconsciencia, convulsiones y muerte. En un número reducido de víctimas la piel adquiere el color rojo de las cerezas. Una exposición prolongada puede causar daño permanente al sistema nervioso central y a otros órganos del cuerpo.

Procure ayuda médica. Llame a los bomberos, al escuadrón de emergencia de la policía o una ambulancia. Hay que retirar a la víctima de la fuente de gas tóxico, y si es posible, hágasela respirar oxígeno al 100 por ciento. Si se recupera, se la debe mantener por varias horas en reposo absoluto.

El humo de los automóviles contiene monóxido de carbono, que es un veneno mortal.

Primeros auxilios

E n un capítulo anterior (véase la pág. 4) presentamos ciertos procedimientos básicos de emergencia necesarios para prestar primeros auxilios a personas lesionadas o gravemente enfermas. En el presente nos referiremos en detalle a una cantidad de situaciones que requieren primeros auxilios. Por conveniencia las hemos agrupado en categorías.

Cada familia debería tener a mano un libro que describa procedimientos de emergencia y primeros auxilios. Se los consigue en las librerías. Presentan en forma concisa lo que debe hacerse en una gran variedad de emergencias. Es conveniente estar capacitados para poner en práctica estos procedimientos. Se lo consigue tomando los cursos ofrecidos por la Cruz Roja o los hospitales locales. La exposición que sigue, por razones de espacio, no proporciona todos los detalles que Ud. podría necesitar, pero le ayudará a recordar lo que ya ha aprendido.

BOSQUEJO

- Reacciones alérgicas
- Mordeduras
- Primeros auxilios para las mordeduras de serpientes
- Picaduras
- Quemaduras
- Problemas circulatorios agudos
- Cuerpos extraños
- Fracturas
- Heridas y lesiones
- Exposición al medio ambiente

Reacciones alérgicas

Ataque de asma

Un ataque de asma se presenta cuando se estrechan las vías respiratorias del paciente como resultado de la contracción de los músculos bronquiales, la tumefacción de la membrana mucosa y la abundante producción de mucosidad. El ataque se produce como consecuencia de la sensibilidad de la persona a ciertas sustancias, la tensión emocional o un ejercicio violento (consulte los detalles en la pág. 78). Los síntomas comprenden dificultad para exhalar, opresión en el pecho y jadeo o respiración sibilante.

Primeros auxilios

- Aleje al asmático de toda causa evidente del problema, como ser humo, polen, pinturas, perfumes, polvo, caspa de origen animal y hongos.
- Si el asmático ya ha tenido un ataque anteriormente, déle el medicamento que se le recetó. Hay preparados que se pueden comprar en la farmacia. Entre ellos están las antihistaminas y los broncodilatadores administrados por inhalación.
- Si el ataque es leve, una bebida

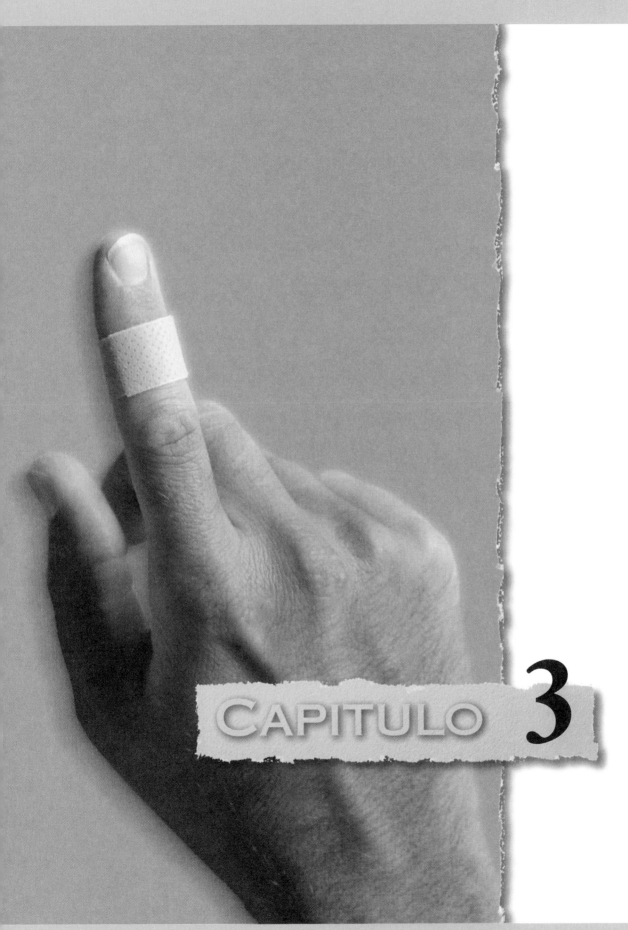

CAPITULO 3

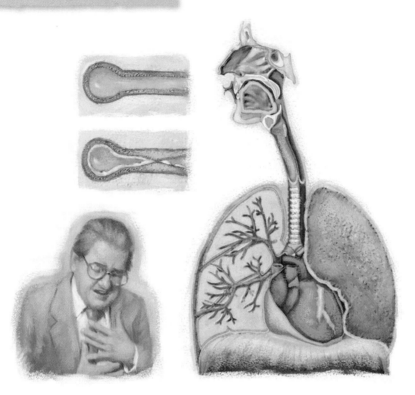

Un ataque de asma ocurre cuando los conductos de aire en los pulmones del enfermo (los bronquios) se hacen estrechos como resultado de la contracción de los músculos bronquiales, la inflamación de la membrana que recubre los bronquios y el exceso de moco.

caliente o la inhalación de vapor puede producir alivio.

- Si el ataque es grave, llame al médico o lleve al paciente al servicio de emergencia de un hospital.
- Por lo general, la mejor posición para el asmático es sentado y levemente inclinado hacia adelante. Hay medicamentos disponibles (adrenalina, norepinefrina, amino filina, esteroides) , y el médico decidirá cuál es el más conveniente.

Mordeduras

Mordeduras de animales

Estas mordeduras las pueden causar animales domésticos mientras juegan o cuando se enojan, o animales salvajes como los murciélagos, los zorros, las ardillas, las zarigüellas, los mapaches y otros. Una mordedura puede ser superficial, como podría ser el rasguño o la lesión producidos por los dientes o las garras de un animal doméstico, o puede ser profunda, como la herida punzante o grande causada por un animal doméstico o salvaje, que podría causar tétanos o rabia.

Primeros auxilios

- Cuando la mordedura es superficial, lávela con agua y jabón y aplique un antiséptico (agua oxigenada) o una pomada con antibióticos. Si la mordedura da señales de

Alergias producidas por plantas

Las tres plantas más comunes a las que mucha gente es sensible son la hiedra venenosa *(Rus toxicodendron)*, el árbol de las pulgas *(Rus radicaos)* y el zumaque venenoso *(Rus vernix)*. Las partes afectadas de la piel se inflaman, se hinchan y se cubren de ampollas, y hay intensa picazón. La irritación la causa una sustancia resinosa. Con extractos de estas plantas se han preparado vacunas que, en el caso de ciertas personas, sirven para prevenir el problema.

Primeros auxilios

- Con agua y jabón se puede eliminar el material resinoso que causa la irritación, o se lo puede destruir lavándolo con una solución salina, o de sal de Epsom (una cucharada de sulfato de magnesio diluida en un litro de agua).
- Cuando se han formado las ampollas, hay que aplicar compresas empapadas con una solución de sulfato de magnesio o bicarbonato de sodio (una cucharada por litro de agua).
- Cubra la compresa con un trozo de plástico para retener la humedad. La aplicación de cremas con esteroides proporcionará alivio cuando las ampollas comienzan a secarse. Estos productos se pueden conseguir en la farmacia.
- Evite rascarse, porque las vesículas rotas propagan el sarpullido. Si las lesiones se infectan, la víctima puede afiebrarse. Si las lesiones son graves y afectan los ojos, la boca o los órganos sexuales, consulte inmediatamente al médico.

infección, consulte con el médico. Éste podría recetar una inyección antitetánica y un antibiótico.

- Si la mordedura es profunda, se la debe lavar con agua y jabón, y el paciente debería ir al médico o a un servicio de emergencia Se le dará una inyección antitetánica, y si no se puede encontrar al animal, el médico podría recomendar una vacuna contra la rabia. Toda mordedura en la mano debe ser examinada por un médico (Vea los detalles más adelante).

Mordeduras causadas por seres humanos

Toda mordedura causada por seres humanos, especialmente en las manos, ya sean accidentales o intencionales, habría que tomarlas bien en serio. Los microorganismos que se encuentran en la boca pueden producir infecciones graves.

Es extremadamente importante llevar a la víctima de una mordedura de serpiente a un hospital tan pronto como sea posible, incluso si no presenta síntomas.

Primeros auxilios

- Consulte inmediatamente al médico. Una cuidadosa limpieza y la administración de antibióticos pueden contribuir a prevenir graves problemas.

Mordeduras de serpientes

Existen serpientes venenosas en la mayor parte de los países del mundo, que causan numerosas muertes, especialmente entre los niños. En los Estados Unidos hay cuatro clases de serpientes venenosas: la cascabel, la mocasin de agua, la víbora norteamericana y la coral. En el norte de la República Argentina y en Paraguay está también la yarará. El veneno de las diferentes serpientes varía. No solamente daña los tejidos circundantes a la lesión, sino que contiene toxinas que circulan con la sangre y dañan los glóbulos rojos, el sistema nervioso, el hígado y los riñones.

Si lo muerde una serpiente, ya sea venenosa o no, consulte inmediatamente al médico. Si no es venenosa, éste puede recetar una inyección antitetánica y antibióticos. La prevención es importante. Use botas altas y esté atento cuando recorra un lugar infestado por serpientes venenosas. No meta la mano en agujeros o hendeduras donde podría haber serpientes.

Hay antídotos para las mordeduras de una gran variedad de serpientes venenosas, pero como son específicos para determinadas serpientes, es sumamente importante identificar a la serpiente en cuestión.

Primeros auxilios para las mordeduras de serpientes

Venenosas y no venenosas

Todas las mordeduras de serpientes deben ser tratadas por un médico. Hay que llevar a la víctima al hospital, aunque sólo se sospeche de una mordedura.

Primeros auxilios

- Actúe rápidamente. Aleje a la víctima del peligro de una segunda mordedura.
- Llévela al hospital o al médico lo más pronto posible.
- Manténgala en reposo, preferiblemente acostada. No permita que se mueva.
- Entablille el brazo o la pierna.
- Mantenga el lugar de la mordedura por debajo del nivel del corazón.
- Ponga una banda de constricción (no un torniquete) entre la mordedura y el corazón. Asegúrese de que puede sentir el pulso por debajo de la banda. Afloje la banda cada quince minutos. Si aparece una hinchazón a la altura de ella, sáquela y vuelva a ponerla varios centímetros más arriba. No la ponga alrededor de una articulación, ni en la cabeza, el cuello o el tronco.
- Asegure a la víctima que todo va a salir bien.
- Si sobreviene un shock, manténgala bien abrigada.
- Si se produce un paro respiratorio, aplique respiración artificial. Si se produce un paro cardíaco, aplique la resucitación cardiopulmonar, si sabe hacerla.
- Si dispone de elementos para tratar una mordedura de serpiente, siga las instrucciones. Los antídotos se preparan con suero de caballo. (Hay que estar prevenido ante la posibilidad de que se presenten reacciones de hipersensibilidad que requieran el uso de hepinefrina [adrenalina]. Es probable que haya que administrarla por vía intravenosa).

Cosas que se deben recordar

- Es sumamente importante que lleve a la victima al hospital tan pronto como sea posible, aunque no haya síntomas.
- Identifique a la serpiente, si es posible. Si la puede matar sin arriesgarse, llévela al hospital para que la identifiquen.

Cosas que no se deben hacer

- No le dé a la víctima ni comida ni bebida, especialmente bebidas alcohólicas.
- No aplique frío a la región mordida, como compresas frías, bolsas de hielo, etc.
- No haga ninguna incisión ni succione la herida.

Síntomas

Los síntomas pueden variar, según sea la serpiente venenosa de que se trate. Pueden incluir debilidad, desmayo, transpiración, náuseas, vómitos, escalofríos y descenso de la presión sanguínea. Puede haber hinchazón en el lugar de la mordedura, somnolencia, dificultad para tragar y respirar, y convulsiones.

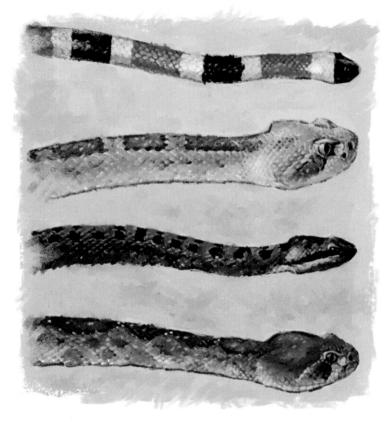

En los Estados Unidos hay cuatro clases de serpientes venenosas: serpiente coral, la cascabel, el mocasín acuático y la cabeza de cobre.

Primeros auxilios

- Levante la parte mordida, evite el esfuerzo y consulte al médico. No corte, ni chupe ni use torniquetes.
- Para su conveniencia se ha preparado un resumen acerca de cómo actuar en caso de mordeduras de serpientes. Vea la página anterior.

Mordeduras de arañas

La mayor parte de las arañas son venenosas, pero carecen de colmillos capaces de penetrar en la piel humana. Las dos más comunes en los Estados Unidos son: (1) la viuda negra, que se encuentra en los estados del sur, y que en el Río de la Plata recibe el nombre de araña del lino o rastrojera, araña cloria o de poto colorado en Chile, mico-mico en Bolivia, lucacha en Perú y cazapulgas en América Central, y (2) la tarántula, araña gigante que infunde terror pero que no causa mordeduras graves. También existe en otros países americanos, y se la conoce como araña pollito en el Río de la Plata, araña cangrejera en Brasil, ñandúcaballú en Paraguay, apasanca en Bolivia y Perú y tarántula en otros países de América.

La mordedura de la **viuda negra** produce dolor agudo localmente, seguido al cabo de treinta minutos de rigidez y calambres abdominales. Posteriormente puede presentarse debilidad, dolor intenso en las extremidades y hasta convulsiones, especialmente en los niños.

La mordedura de la **araña rinconera** puede no ser evidente por horas y hasta días. En el sitio de la mordedura aparece una úlcera en forma de volcán, que va acompañada de náuseas, vómitos, escalofríos, fiebre y erupción cutánea.

La tarántula no puede inyectar una cantidad importante de veneno. Su mordedura es dolorosa pero pocas veces tiene consecuencias graves.

Primeros auxilios

- Lleve a la víctima inmediatamente al médico o al hospital.
- No toque el lugar de la mordedura.
- En caso de mordedura de viuda

negra, el médico puede administrar gluconato de calcio para aliviar los espasmos musculares, y luego dar el contraveneno adecuado. Conviene observar a la víctima por un tiempo por si entra en shock.

- Si la mordedura es de una araña de los rincones, algunos médicos recomiendan la eliminación quirúrgica del lugar afectado por el veneno. Otros recomiendan esteroides. El médico que atiende el caso debe observar cuidadosamente el desarrollo de la situación. La mayor parte de las lesiones sana sin mayores consecuencias.
- Hay que observar cuidadosamente las mordeduras de las tarántulas.

Mordeduras de garrapatas

Las garrapatas introducen la cabeza en la piel de los animales de sangre caliente y les chupan la sangre. Algunas son inofensivas, mientras otras son portadoras de numerosas enfermedades, varias de las cuales son graves. No arranque la garrapata, porque cuando ésta se ha instalado en la piel, dejará la cabeza allí.

Primeros auxilios

Para sacar la garrapata, póngale encima vaselina, una gota de aceite, gasolina (nafta), querosén o trementina. Eso impide que respire, y la obliga a desprenderse. O, como último recurso, tome la garrapata con una pinza y hágala girar en sentido contrario al de las manecillas del reloj.

- No toque la garrapata con los dedos ni la reviente. Después de sacarla, lave cuidadosamente la zona con agua y jabón, y luego aplique alcohol o agua oxigenada.
- Consulte al médico, especialmente si siente fiebre a los pocos días Las garrapatas propagan enfermedades producidas por rickettsias.

Mordeduras de hormigas

Son frecuentes las mordeduras producidas por diversas clases de hormigas comunes. La hormiga inyecta ácido fórmico en los tejidos. Para la mayor parte de la gente esto se limita a un simple ardor, picazón e hinchazón localizados, que desaparecen espontáneamente a las pocas horas o en un día.

La mordedura de la **hormiga de fuego** (que se encuentra en el sur de los Estados Unidos), provoca una reacción mucho más grave. Cada mordedura se convierte en una dolorosa pústula con hinchazón localizada. Los tejidos pueden destruirse y después queda una cicatriz.

Algunas personas son muy sensibles a la mordedura de cualquier hormiga, y para ellas siempre es una **emergencia médica.**

Primeros auxilios

- Lave las mordeduras con agua y jabón. Produce alivio la aplicación de alguna pomada anestésica o crema de calamina.
- Si se produce una infección (especialmente después de la mordedura de una hormiga de fuego), consulte al médico. Podría recomendar un antibiótico.
- Si se produce una **reacción anafiláctica**

La araña viuda negra y la garrapata.

como consecuencia de cualquier mordedura, lleve urgentemente a la víctima al médico o a la sala de emergencias del hospital más cercano, para que le apliquen una inyección de adrenalina (norepinefrina) y le administren antihistaminas oralmente.

Picaduras

Picaduras de abejas y avispas

La abeja pica sólo una vez, porque que deja el aguijón en la piel. Pero otros insectos pueden picar varias veces. Generalmente una sola picadura, aunque produzca dolor, hinchazón, enrojecimiento y picazón, es relativamente inofensiva. Pero si las picaduras son numerosas y simultáneas, pueden inyectar suficiente veneno como para que la víctima se sienta mal.

La picadura de la hormiga brava puede causar pústulas dolorosas e hinchazón en el área cercana a la picadura.

Algunas personas son sumamente sensibles a las toxinas de estos insectos, y por eso mismo se produce en ellas una reacción anafiláctica que puede producir shock y muerte.

Primeros auxilios

- En caso de picadura de abeja, saque primero con la hoja de un cuchillo o con las uñas el aguijón y la bolsita que contiene el veneno. No tome el aguijón con los dedos porque de esa manera se inyecta más veneno en la herida.
- Para estas picaduras aplique una compresa de hielo, loción de calamina o un ungüento anestésico en el lugar de la lesión, para proporcionar alivio.
- En el caso de personas hipersensibles, si dispone de lo necesario para tratar picaduras de abejas, aplique una inyección intramuscular de adrenalina (norepinefrina). Luego administre una antihistamina por vía oral. Observe de cerca a la víctima. Si se produce alguna reacción, aplique una segunda inyección de adrenalina y llévela al servicio de emergencia de un hospital.
- Si NO dispone de los elementos necesarios para tratar picaduras de abejas, lleve urgentemente a la víctima al servicio de emergencia más

cercano. Si empeora mientras va en camino, aplique un torniquete a unos 7 cm por encima del lugar de la picadura. Aflójelo cada 10 ó 15 minutos. Esté listo para dar respiración artificial o resucitación cardiopulmonar. Trate a la víctima como si estuviera en estado de shock.

Picadura de escorpión

El escorpión se parece a un pequeño cangrejo, e inyecta su veneno por medio de un aguijón que se encuentra en el extremo de la cola. En el sur de los Estados Unidos hay dos clases de escorpiones cuyas picaduras son graves pero no fatales. Las picaduras de los escorpiones de Sudamérica, África y Asia son más graves y con frecuencia fatales. Las situaciones más graves se producen en los niños, y mientras más pequeños son, tanto mayor es el peligro de muerte.

Primeros auxilios

- Hay que consultar inmediatamente al médico para obtener, de ser posible, un antídoto, que es el único tratamiento satisfactorio.
- Mantenga a la víctima tranquila y abrigada. Algunas personas experimentan mareos, vómitos, salivación abundante y hasta estado de shock. En este último caso hay que llevar a la víctima a un hospital.

Picaduras de animales marinos

El bagre tiene un aguijón barbado en su aleta dorsal, que es suficientemente fuerte como para atravesar la suela de un zapato. La medusa tiene tentáculos largos y finos que se adhieren a la piel. La raya tiene su aguijón cerca de la base de la cola. Las picaduras del bagre, la medusa o la raya producen intenso dolor, y pueden ir acompañadas de vómitos, dificultad para respirar y desmayo. Los principales peligros son una reacción alérgica (bagre y medusa) o una infección (raya).

Primeros auxilios

- Dada la posibilidad de que se presente una reacción grave, conviene llevar a la víctima al médico o a un servicio de emergencia.
- Trate la picadura del **bagre** como si fuera la mordedura de una serpiente (véase la pág. 33).
- Separe de la piel los tentáculos de la **medusa.** Algunos sugieren frotarla con arena seca. La mano que se usa para separar los tentáculos debería estar cubierta por una toalla gruesa o por guantes. Lave la parte afectada y luego frótela con alcohol. Se puede obtener alivio cubriendo la picadura con una pasta hecha con bicarbonato de sodio, o bien sumergiendo el brazo o la pierna en un baño de agua y amoníaco diluido (30 ml de amoníaco en 11 de agua), o bien en una solución de sales de Epsom (45 g en 11 de agua). Si se inflaman las glándulas de la ingle o la axila, aplique una bolsa de hielo durante 20 minutos cada hora.

Sólo un médico debe sacar el aguijón de la **raya.** El veneno que produce es bastante tóxico, de manera que se debería lavar la herida con

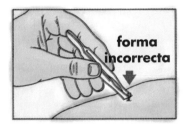

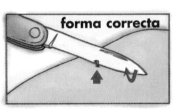

El aguijón de una abeja introducido en la piel. Si se intenta sacarlo con una pinza o con los dedos, el veneno penetrará más profundamente. Hay que sacarlo con la hoja de un cuchillo, con el borde de un papel, o con algo semejante.

Las picaduras de escorpión son serias pero raramente fatales.

El veneno de la raya es bastante tóxico pero el mayor peligro que representa es el de infección.

agua salada y luego con agua caliente para destruir el veneno. El médico determinará si se necesita un antibiótico para prevenir una infección.

Quemaduras

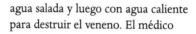

Una quemadura es una lesión de los tejidos, generalmente de la piel o las membranas mucosas, causada por el calor, ya sea seco (fuego, objetos calientes) o húmedo (líquidos calientes, vapor), sustancias químicas, electricidad, radiaciones (sol, rayos X, sustancias radioactivas) o fricción.

Millones de personas sufren quemaduras cada año, de las cuales muchas son muy graves, y millares pierden la vida por esta causa. En los Estados Unidos las quemaduras son la tercera causa de muertes accidentales.

Las quemaduras se clasifican de acuerdo con la profundidad o el grado de daño que causan a la piel.

En las **quemaduras de primer grado** sólo se daña la epidermis, es decir, la capa exterior de la piel. Esta se pone roja, duele y se hincha levemente, pero no hay ampollas. Entre las causas más comunes se encuentran la exposición leve al sol, al vapor, al agua caliente o al calor directo. La piel sana rápidamente sin dejar cicatrices.

En las **quemaduras de segundo grado** se dañan a la vez la capa exterior y la profunda de la piel (dermis), con enrojecimiento, hinchazón, ampollas, dolor fuerte y pérdida del líquido de los tejidos. Las causas son exposición prolongada al sol, líquidos en ebullición, vapor, productos químicos corrosivos y electricidad. Las quemaduras extensas pueden producir efectos generalizados como shock e infecciones. La capa profunda no se destruye totalmente, de manera que la piel se regenera sin dejar cicatrices importantes.

En las **quemaduras de tercer grado** las capas externa e interna de la piel se destruyen totalmente, y la piel quemada pierde su sensibilidad. En casos más graves también se dañan los tejidos subyacentes, como ser los músculos. Las causas pueden ser ropa incendiada, exposición a las llamas, gasolina ardiendo, contacto prolongado con objetos calientes y electricidad. En este caso la piel no se regenera en el centro de la quemadura, sino sólo en los bordes. Las cicatrices pueden ser extensas, especialmente cuando los injertos de piel no prenden.

La gravedad de la quemadura no depende sólo de si es de primero, segundo o tercer grado, sino además de la extensión de la superficie quemada. Como regla general, los niños con quemaduras del 10 por ciento de la piel, y los adultos con el 15 por ciento, deben ser hospitalizados. La quemadura en la cara y las producidas por inhalación deberían recibir atención médica inmediata.

Primeros auxilios

Las sugerencias que damos a continuación son sólo para la prestación de primeros auxilios en caso de quemaduras graves. El médico debe examinar sin falta a las víctimas que padecen de estas quemaduras, o en su defecto hay que llevarlas al servicio de emergencia de un hospital.

- Si se trata de una **quemadura de primer grado,** aliviar la molestia es el objetivo principal. Si se sumerge la parte quemada en agua fría, se consigue alivio. La aplicación de una crema sin grasa con un anestésico suave, reduce el dolor.

- Si se trata de una **quemadura de segundo grado,** el próposito de los primeros auxilios consiste en aliviar el dolor, tratar de controlar la infección y prevenir el shock. El dolor se alivia muy eficazmente si se sumerge la parte afectada de diez a quince minutos en agua fría (no en hielo). Si esto no es posible, puede aplicarse suavemente una tela mojada en agua helada y estrujada. Seque suavemente, pero sin restregar. No utilice pomadas aceitosas o grasosas. Una lesión pequeña se puede lavar con agua tibia y jabón. Cubra la herida con una tela liviana para mantenerla limpia.

Si las extremidades están quemadas, levántelas levemente. Para impedir el shock, mantega a la víctima reclinada con los pies levantados. Cuide de que esté abrigada. Saque los anillos y brazaletes que podrían causar problemas si hubiera hinchazón. No

Vista diagramática de una quemadura de la piel: (A) La capa superior de la piel (la epidermis) se ha separado, y se ha acumulado líquido hasta formar una ampolla.

(A)

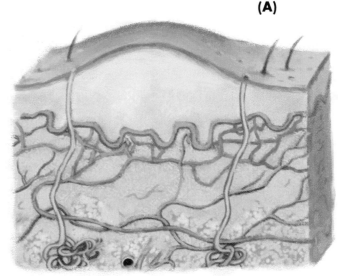

(B)

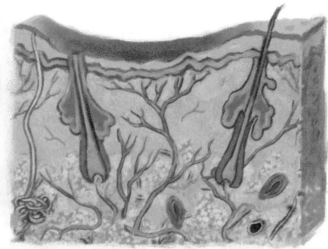

(C)

(B) Una quemadura más severa ha destruido parte de la epidermis; (C) una quemadura aun más severa ha destruido toda la epidermis y parte de la dermis; quedan porciones de las glándulas sebáceas y folículos del pelo.

reviente las ampollas. Déle liquidos con frecuencia para reemplazar los que pierde en la zona de la quemadura. Puede darle agua con sal: una cucharadita de sal en un litro de agua, especialmente si se demora en llegar al hospital.

• Si se trata de una quemadura de tercer grado, la atención básica es la misma que para las quemaduras de segundo grado, sólo que un shock es mucho más posible. No trate de

lavar la herida ni le aplique agua fría, porque podría apresurar el shock. Cubra la herida con una tela esterilizada o por lo menos limpia. Observe si se produce dificultad para respirar, y trate convenientemente el shock (véase la pág. 11).

Quemaduras por inhalación

Muchas quemaduras graves, resultan de explosiones o ráfagas de aire caliente, seguidas de inhalación de humo, dañan los bronquios y los pulmones, lo que produce tos persistente, ronquera y esputos con sangre o partículas de carbón. La hinchazón de los tejidos pulmonares puede poner en peligro la vida.

Primeros auxilios

• Lleve inmediatamente a la víctima al hospital para mantenerla en observación, porque en los días sucesivos podrían producirse graves problemas.

Quemaduras producidas por sustancias químicas

En el pasado se recomendaba buscar inmediatamente un antídoto. No lo haga; toma demasiado tiempo.

Primeros auxilios

Sin demora alguna hay que lavar la parte quemada con agua fría durante diez o quince minutos. Si la zona expuesta a la sustancia química es amplia, use una manguera o la ducha del baño.

• Saque con cuidado toda la ropa

contaminada.

- Si un ojo está afectado, manténgalo abierto e irríguelo continuamente con agua, cuidando que ésta corra hacia afuera, lejos del otro ojo. Si los dos ojos están afectados, mantenga la cabeza inclinada hacia adelante de manera que el agua corra hacia afuera.
- Si se trata de **quemadura alcalina de los ojos,** lave tal como se indica arriba, cubra con una tela limpia y húmeda, y lleve a la víctima al servicio de emergencia del hospital. Un especialista debería encargarse de atenderla, porque puede producirse un daño grave y duradero.
- Si el envase del producto químico trae instrucciones acerca de los primeros auxilios que se pueden aplicar, sígalas.
- Cubra a la víctima con una tela limpia y húmeda y llévela a un servicio de emergencia.
- Si la quemadura la produjo **un ácido,** lave cuidadosa y completamente la parte quemada y, si dispo-ne de ella, lávela con una solución de bicarbonato de sodio a razón de una cucharadita por litro de agua.
- Si la quemadura alcalina no alcanzó los dos ojos, lave como en el caso anterior, y lleve a la víctima al servicio de emergencia.

Quemaduras por radiación

Estas ocurren por exposición excesiva a los rayos ultravioletas (sol, lámpara solar, soldadoras), rayos X y materiales radioactivos.

Primeros auxilios

Si son quemaduras de primero y segundo grados producidas por **luz ultravioleta,** hay que tratarlas como si fueran quemaduras comunes.

- Si se trata de quemaduras por **rayos** X y materiales radioactivos, las quemaduras superficiales de la piel se deben tratar como si fue ran comunes. Los síntomas que suelen aparecer más tarde requie ren de atención médica especializada.

Problemas circulatorios agudos

Ataque al corazón

El ataque al corazón puede ser una sorpresa, o en cambio la persona puede estar plenamente consciente de su problema cardíaco.Aunque a veces el ataque es "silencioso", los dos síntomas principales de un ataque agudo al corazón son los siguientes: (1)

Dolor en el tórax que irradia hacia el cuello, uno o ambos hombros y la parte superior del abdomen (por lo que a veces se lo confunde con una indigestión), y (2) Dificultad respiratoria grave. Hay palidez, sudor frío, náuseas (a veces vómitos), aprensión extrema, postración y con frecuencia shock.

Quemaduras producidas por corriente eléctrica

Se producen graves daños en los puntos donde la corriente eléctrica entra y sale del cuerpo. El perjuicio con frecuencia es mayor de lo que parece, y es posible que no se manifieste plenamente hasta después de varios días. Los problemas más graves los causa el paso de la corriente por el tórax, porque interfiere con la acción del corazón, y por la base del cerebro, lo que afecta al control de la respiración.

Hay que separar primero de la corriente a la víctima de una descarga eléctrica, por medio de un instrumento aislante (madera, plástico). De lo contrario, el presunto salvador puede convertirse en víctima.

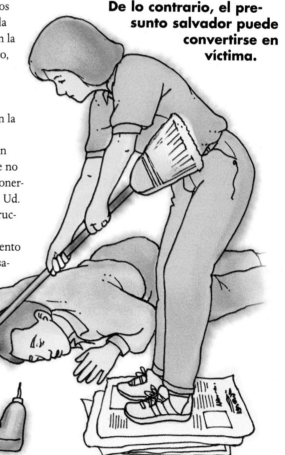

Primeros auxilios

- Si la víctima todavía está en contacto con la corriente, apártela de ella mediante una herramienta que tenga algo aislante, o un trozo de madera u otro instrumento que no sea conductor. Tenga cuidado de no exponerse a la corriente y convertirse en víctima Ud. mismo. (Véase la pág. 558 para más instrucciones al respecto.)
- Preste atención inmediata al funcionamiento del corazón y los pulmones, y si es necesario, administre respiración artificial o resucitación cardiopulmonar (págs. 6-9).
- Consulte a un médico o lleve a la víctima al servicio de emergencia.
- Las heridas menores pueden tratarse como quemaduras comunes.

Primeros auxilios

- Envíe a alguien en busca de ayuda: enfermeros o una ambulancia, y avise inmediatamente al médico.
- Ponga a la víctima en posición semirreclinada y manténgala en reposo absoluto. Afloje la ropa alrededor del cuello.
- Si cesa la respiración, déle respiración artificial. Si se produce un **paro cardíaco** (cuando el corazón deja de latir), administre resucitación cardiopulmonar.
- Si la víctima ha tenido anteriormente algún ataque al corazón y dispone de tabletas de nitroglicerina, póngale una debajo de la lengua.
- Cuando llegue la ayuda médica, siga sus instrucciones. Permita que lleven a la víctima a la unidad de terapia coronaria del hospital.

Apoplejía

Un ataque de apoplejía es el resultado de una hemorragia cerebral, o de un coágulo que obtura una arteria cerebral. La apoplejía puede ser importante, y generalmente produce una grave incapacidad; o bien puede ser suave, en cuyo caso el impedimento es leve y con frecuencia transitorio. Los síntomas de un ataque leve incluyen dolor de cabeza, confusión, mareo, dificultad para hablar, pérdida de la memoria y debilidad en un brazo o una pierna. Si estos ataques ocurren con frecuencia, pueden producir cambios en la personalidad.

Los síntomas de un ataque grave de apoplejía incluyen debilidad o parálisis de un lado del cuerpo, dificultad

Los derrames pueden ser graves y causar incapacidad, o menores, que a veces se llaman "miniderrames", en los que la incapacidad es leve y a veces temporera.

para hablar y tragar, dificultad para respirar, y confusión o inconsciencia. La invalidez que produce puede ser grave y con frecuencia es permanente.

Primeros auxllios

- En el caso de cualquier ataque de apoplejía, llame al médico o lleve a la víctima al hospital.
- Mientras tanto, mantenga a la víctima abrigada, tranquila y cómoda, en una posición que permita que la saliva o los vómitos fluyan libremente hacia afuera. Si deja de respirar, déle respiración artificial.
- Si el ataque es leve, consulte al médico. Mientras tanto mantenga a la víctima tranquila, y cuide que no se canse ni que se haga daño al caer.

Hemorragia intensa

La rápida pérdida de sangre puede producir la muerte en poco

43

tiempo. La pérdida de sangre es externa cuando fluye fuera del cuerpo, o interna cuando se derrama en las cavidades del organismo.

La **hemorragia externa** puede ser ocasionada por cortes, puñaladas, laceraciones y desgarramientos. *La sangre de una arteria* es de color rojo brillante y puede salir a borbotones (al compás de los latidos del corazón). *La sangre de una vena* es de color rojo oscuro y fluye con más lentitud. *La sangre de los capilares* es de color intermedio y mana hacia afuera

Primeros auxilios

- En primer lugar, verifique si la víctima respira. Si es necesario, déle respiración artificial. Si el corazón se detiene, también cesará la hemo-

rragia, pero en ese caso hay que dar resucitación cardiopulmonar (págs. 8, 9).
- Coloque una compresa, o una tela gruesa sobre la herida; manténgala firmemente en su lugar y aplique suficiente presión directa con la palma de la mano para controlar la hemorragia.
- Si esto no da resultado, trate de ejercer presión sobre la arteria que está por encima del lugar de la hemorragia. Elija el punto de presión más cercano, es decir, donde se pueda presionar la arteria contra un hueso (véase la ilustración adjunta). Esta técnica es útil para lesiones en las piernas o los brazos, y no se la debe aplicar en la cabeza o en el cuello.

Hay dos métodos de controlar las hemorragias: (a) presión directa sobre el área del sangrado; (b) presión indirecta que se aplica sobre la arteria que está por encima del lugar de la hemorragia.

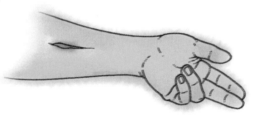

(A) 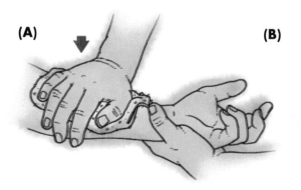 (B)

- El torniquete sólo se debe usar cuando la vida de la víctima corre peligro. La razón de esto es que todos los tejidos que se encuentran por debajo de éste quedan privados de sangre, y si esto dura demasiado, habría que amputar el miembro.
- Si entra en shock, dé el tratamiento correspondiente.
- Si es posible, ubique la parte que sangra por encima del nivel del corazón, para facilitar el control de la hemorragia.
- Si la víctima está consciente, anímela a tomar líquidos, pero sin cafeína, para que no se eleve la presión de la sangre y no aumente la hemorragia.
- Lleve a la víctima a un servicio de emergencia tan pronto como sea posible.

La hemorragia interna puede ocurrir debido al estallido del hígado o el bazo, a la ruptura del oviducto (embarazo extrauterino), a una puñalada, a una herida de bala, a una enfermedad pulmonar, a la ruptura de una vena varicosa en el esófago o a la erosión de una úlcera péptica. La hemorragia pulmonar se puede reconocer cuando la víctima expulsa sangre de color rojo brillante. La hemorragia estomacal o intestinal puede detectarse cuando la víctima vomita sangre oscura, o cuando la materia fecal es de color negruzco. Los síntomas de shock que se producen después de una lesión violenta (accidente automovilístico o herida de bala), también pueden ser indicación de una hemorragia interna.

Primeros auxilios

- Acueste a la víctima de espaldas y manténgala bien abrigada.
- Si deja de respirar, hágale respiración artificial.
- Si está consciente, anímela a tomar líquidos, pero sin cafeína, para no elevar la presión de la sangre ni aumentar la hemorragia.
- Lleve a la víctima sin pérdida de tiempo a un servicio de emergencia para que le practiquen una intervención quirúrgica.

Los cuerpos extraños pueden penetrar en los ojos, los oídos, la nariz, la garganta, el estómago y la piel. Si mediante un procedimiento sencillo y práctico no se logra eliminar ese objeto, hay que consultar inmediatamente al médico o acudir al servicio de emergencia de un hospital.

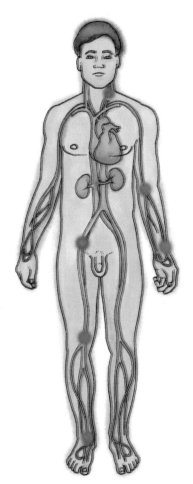

Note los varios puntos de presión: lugares donde una arteria está en proximidad con un hueso.

Cuerpos extraños

En el canal auditivo
Primeros auxilios

- Si un **insecto** se instala en el oído, lleve a la víctima a una habitación oscura y encienda una linterna frente al canal auditivo.
- Si esto no da resultados, mueva la cabeza de manera que el oído afectado quede hacia arriba, y eche en el canal auditivo unas gotas de glice-

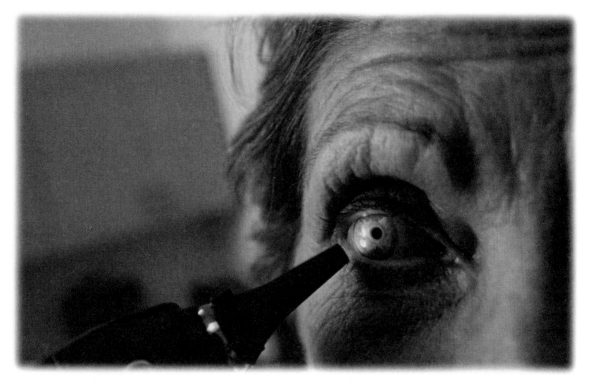

Consulte a un médico inmediatamente si una astilla de acero o cualquier otro material extraño ha penetrado la esfera ocular.

rina o aceite (vegetal o mineral). Eso sofocará al insecto. Luego incline la cabeza en sentido opuesto e irrigue suavemente el oído con agua tibia mediante una jeringa de goma.

- Un objeto duro se puede desalojar en algunos casos inclinando la cabeza de manera que el oído afectado quede hacia abajo, para luego tirar la oreja en varias direcciones.

- Si no se logra desalojar un objeto visible desde el exterior, coloque una gota de cola, de ésas que se secan rápidamente, en el extremo de un fósforo. Toque suavemente el objeto con el extremo encolado del fósforo, y espere hasta que la cola se seque; luego retire el fósfo-

ro. El objeto deberla salir con él. **No** haga esto si el objeto no es visible.

- Si no logra sacar el insecto o el objeto, consulte al médico.

En el ojo

Consulte inmediatamente al médico si una astilla de acero o cualquier otra materia extraña ha penetrado en el globo ocular. Las partículas de polvo, aserrín o de otra índole, se pueden eliminar de la superficie del ojo de la siguiente manera:

Primeros auxilios

- No se frote el ojo. Cierre por unos minutos el ojo afectado. El flujo adicional de lágrimas puede expulsar la partícula extraña.

- Si no se tiene éxito, baje el párpado inferior de modo que se vea la mucosa. Pida a la persona que mueva el ojo hacia arriba. Saque el objeto con el extremo de un pañuelo limpio o con un palillo forrado en algodón.
- Si no localiza el objeto, tome las pestañas del párpado superior y deslícelo sobre las pestañas del inferior. Suelte abruptamente el párpado superior de modo que las pestañas del inferior eliminen las partículas extrañas.
- Si esto no da resultado, llene un cuentagotas con agua limpia o con colirio. Luego estire los párpados hacia afuera y lávelos suavemente.
- Si el objeto extraño no sale, invierta el párpado superior. Esto se logra si se toma un fósforo y se presiona el párpado hacia atrás y hacia arriba sobre él (vea la figura adjunta), mientras simultáneamente lo mueve hacia afuera y hacia arriba por medio de las pestañas. Use el extremo de un pañuelo limpio para eliminar el objeto.
- Si no tiene éxito, o si la visión se enturbia y persiste el dolor, aplique provisoriamente una compresa en el ojo y lleve inmediatamente a la víctima al servicio de emergencia.

En la nariz

A veces los niños se introducen en la nariz frijoles (porotos), granos de maíz u otros objetos similares.

Primeros auxilios

- Con frecuencia si se suena la nariz un lado a la vez, se logra desalojar el objeto.
- La cavidad nasal es angosta lateralmente, pero larga en sentido vertical. Si se puede ver el objeto cuando el niño inclina la cabeza hacia atrás, introduzca un lazo de alambre fino y blando (un lazo, no un alambre doblado con un extremo agudo), y páselo por encima o por debajo del objeto para sacarlo.
- Si no lo consigue, consulte al médico.

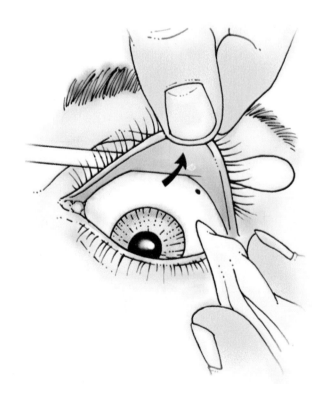

Inversión del párpado superior. Se coloca un fósforo o un palito de algodón sobre el párpado. Luego se toman las pestañas, se hala el párpado hacia fuera y entonces hacia arriba.

En la garganta

El atragantamiento es la sexta causa más común de muerte accidental en los Estados Unidos, y causa más fallecimientos que las armas de fuego o los accidentes aéreos. Los niños con frecuencia inhalan ciertos objetos mientras juegan, o bien un bocado demasiado grande se aloja en la garganta (faringe) y obstruye totalmente el paso del aire a los pulmones.

Primeros auxilios

- Si la persona ha inhalado un objeto pero puede respirar, llévela inmediatamente a un servicio de emergencia. No trate de sacar el objeto.
- Si la obstrucción ha bloqueado totalmente la respiración y la víctima se está **ahogando** o **atragantando,** aplique uno o todos los procedimientos que presentamos a continuación:

Golpes en la espalda. La víctima puede estar de pie, sentada o acostada de lado. Ubíquese en una posición en que pueda aplicar una serie de cuatro golpes fuertes y rápidos en la espalda entre los homóplatos con la parte inferior de la mano. Los golpes deben ser lo suficientemente fuertes como para sacudir el cuerpo de la víctima. En el caso de un bebé, apóyelo sobre su brazo o la rodilla, con la cara vuelta hacia abajo, y déle golpes apropiados, pero no tan fuertes como si fuera un chico mayor o un adulto.

Presión en el epigastrio (maniobra de Heimlich). Si la víctima está consciente, ayúdele a pararse o sentar-

Hay tres maneras de sacar un objeto de una vía respiratoria bloqueada: golpes en la espalda; la maniobra de Heimlich, y la limpieza de la boca con el dedo.

se. Ubíquese detrás de ella y coloque el lado del pulgar de su puño contra su abdomen, justo sobre el ombligo, pero debajo del extremo inferior del esternón. Tómese el puño con la otra mano y haciendo fuerza hacia adentro déle varios rápidos empujones hacia arriba. Si la víctima está de espaldas, póngase a horcajadas sobre las caderas o sobre un muslo. Con una mano sobre la otra, coloque el extremo inferior de la mano que está debajo justo sobre el ombligo y debajo de la parte inferior del esternón. Aplique el peso de los hombros, y dé cuatro rápidos empujones hacia arriba en dirección del diafragma.

Limpieza de la boca con el dedo. Levante el mentón, tome la lengua con un pañuelo y sáquela. Pase el índice de la otra mano por encima de la lengua y a lo largo de los costados de la garganta (no por el medio, porque podría alejar aún más el objeto) para alcanzar el extremo del mismo. Acérquelo a la boca con un movimiento giratorio.

Aun después de haberse restablecido la respiración, el médico debe examinar a la víctima para determinar si ha habido daño en los tejidos o no.

En el estómago

Es común que los niños pequeños traguen monedas, bolitas (canicas), llaves, semillas, horquillas y hasta alfileres de gancho. Un objeto que no tenga extremos puntiagudos generalmente saldrá con la materia fecal al cabo de uno o dos días. El peligro consiste en que alfileres de gancho abiertos u otros objetos similares se alojen en el intestino y lo perforen.

Primeros auxilios

- Si el niño ha tragado un alfiler de gancho u otro objeto agudo o filoso, consulte inmediatamente al médico. Los rayos X descubren el objeto e indican su ubicación. El médico determinará si se lo va a extraer por medio de una operación quirúrgica o mediante algún instrumento especial.

En la piel

Generalmente el objeto extraño es una espina, una astilla de madera, de vidrio o de metal, o un anzuelo. Si el objeto está debajo de la uña de la mano o del pie, o muy dentro de los tejidos, consulte al médico. Puede ser prudente la aplicación de una inyección antitetánica.

Primeros auxilios en caso de astilla

- Lave la piel con agua y jabón. A continuación esterilice los extremos de una pinza puntiaguda y una aguja, pasándolos rápidamente por una llama. Luego ensanche con la aguja la abertura de la piel hasta que quede expuesto el extremo de la astilla, de manera que Ud. pueda extraerla con las pinzas. Sáquela y cubra la herida con una venda adhesiva (curitas).

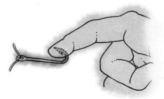

Primeros auxilios en caso de herida con anzuelo

- Si la punta del anzuelo no ha penetrado en la piel, sáquelo simplemente.
- Si ha penetrado en los tejidos, consulte al médico.
- Si no hay médico disponible, lave cuidadosamente el lugar de la herida. Empuje el anzuelo hasta que la punta aparezca en el lado opuesto. Entonces corte cualquiera de los extremos con algo que sirva para cortar alambre, y extraiga el resto del anzuelo. Lave cuidadosamente la herida, aplique un vendaje adhesivo y consulte al médico para ver si es necesario aplicar una inyección antitetánica. Observe si se presenta una infección.

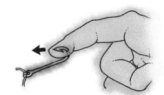

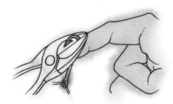

Los cuatro pasos para sacar un anzuelo.

Fracturas

Una fractura es la ruptura de un hueso. En una fractura simple o cerrada, el hueso roto no sale a través de la piel, como sucede en una fractura abierta o expuesta. Una dislocación ocurre cuando se separan las dos partes de una articulación, con desplaza-miento de por lo menos uno de los huesos que la componen. Los huesos rotos y las articulaciones dislocadas producen dolor, con frecuencia se deforman y no se los puede usar. Un hueso fracturado puede dañar los tejidos adyacentes y producir hemorra-

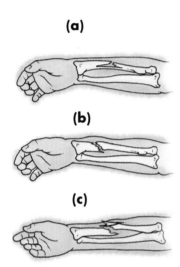

(a)

(b)

(c)

**Tipos de fractura:
(a) incompleta;
(b) cerrada, y
(c) abierta.**

gias, como en el caso de una fractura de costillas.

El propósito de los primeros auxilios consiste en este caso en proteger la fractura y los tejidos adyacentes de daños adicionales, y si es necesario, preparar a la víctima para su transporte, y proporcionarle todo el apoyo que necesite.

Fracturas sencillas
Primeros auxilios

• Si está por llegar la ayuda médica solicitada, mantenga a la víctima tan cómoda como sea posible.
• Si no es posible conseguir inmediatamente ayuda médica, o si hay que trasladar al paciente, inmovilice la fractura. Según sea el lugar fracturado, se lo puede lograr por medio de un cabestrillo, pero generalmente se lo hace mediante un entablillado. Los entablillados se pueden hacer con cualquier material disponible, incluso trozos de madera, palos, revistas o cartones. El entablillado debe extenderse más allá de las articulaciones, por encima y por debajo del lugar lesionado, para impedir los movimientos de los huesos fracturados. Un brazo se puede entablillar pegado al cuerpo del paciente, o una pierna junto a la otra (si sólo una está fracturada). Para mantener el entablillado en su lugar, se pueden usar trozos de tela, corbatas, cinturones o vendas.
• A veces es necesario enderezar un brazo o una pierna para aplicar un entablillado. Afirme la fractura sos-

teniendo el hueso encima y debajo de la fractura. Para fracturas de piernas, tire firme pero suavemente hasta que la tablilla quede en su lugar.

Fracturas abiertas o expuestas
Primeros auxilios

• Corte y saque la ropa que se encuentra en el lugar de la fractura.
• Detenga toda hemorragia con una compresa esterilizada (limpia) y ejerza la presión necesaria.
• Cubra la parte afectada con una venda o un trozo de tela limpia.
• Si hay que trasladar a la víctima, entablille la fractura (vea más abajo).

Dislocaciones

Se las trata como si fueran fracturas simples.

Situaciones especiales

Las fracturas de cuello, columna, cabeza, costillas y pelvis requieren precauciones adicionales. Se puede sospechar que hay fracturas en esos lugares cuando se descubre que hay protuberancias y abrasiones, posturas anormales de ciertas partes del cuerpo, cuando se determina la clase de accidente de que se trata y cuando la victima se queja de dolor, insensibilidad o parálisis.

Fractura del cuello o la columna

Generalmente son el resultado de accidentes automovilisticos, extensión y flexión violenta de la columna, caída

Principios generales relativos a los primeros auxilios

- Compruebe que la víctima respira, y hágale respiración artificial si es necesario. Verifique el pulso, y en caso de paro cardíaco administre resucitación cardiopulmonar.
- Mantenga a la víctima abrigada y observe si se presentan sintomas de shock.
- Si hay una hemorragia intensa, ponga una gasa o tela sobre la herida, y ejerza la presión necesaria.
- Si las circunstancias lo aconsejan, solicite la presencia de un médico o pida una ambulancia.
- No permita que la víctima use o mueva la parte que se supone está fracturada, porque esto podría empeorar la situación.
- No trate de fijar o reducir una fractura o dislocación.
- No intente mover a la víctima o entablillar el miembro fracturado cuando está por llegar la ayuda médica solicitada, a menos que las circunstancias lo requieran.

de una escalera, saltos desde lugares demasiado altos y zambullidas en piscinas (piletas de natación) poco profundas.

Primeros auxilios

- Inmovilice por completo a la víctima. Ponga ropas, frazadas, o cualquier material adecuado a cada lado de la cabeza o la espalda para impedir que se desplace.
- Mueva a la víctima sólo si es necesario, cuando haya peligro de incendio o explosión. Consiga la ayuda de algunas personas para levantarla (o ponerla de lado a fin de que respire mejor), de

manera que al actuar varias manos al mismo tiempo impidan que la espalda, el cuello o la cabeza se doblen o se muevan en cualquier dirección. Levante a la víctima para ponerla en una camilla, sobre una tabla, una puerta o algún material rígido. Si se lesionó en una piscina (pileta de natación), llévela flotando hasta la orilla y consiga ayuda adecuada antes de sacarla del agua.

- Mientras espera que llegue la ayuda de emergencia, verifique periódicamente el pulso y la respiración, observe si se presentan sín-

Las fracturas del cuello o la columna requieren entablillado para prevenir cualquier movimiento. Una tabla de tamaño completo es apropiada para este tipo de fractura y ciertas fracturas de las extremidades inferiores.

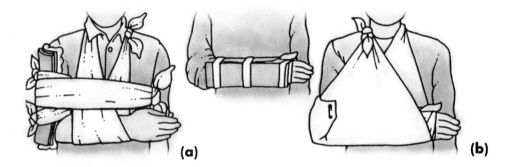

Métodos de entablillado: (a) brazo en cabestrillo sujeto al cuerpo; (b) brazo entablillado sujeto por cabestrillo.

tomas de shock y mantenga abrigada a la víctima. Levántele las piernas si se presentan síntomas de shock.

Fracturas de cráneo

Debe sospecharse una fractura de cráneo, con posible daño cerebral, si la víctima tiene contusiones en la cara o en la cabeza, si ha recibido un golpe en la cabeza, si ha perdido la conciencia, si manifiesta contusión mental o letargo, si hay pérdida de la memoria o le cuesta hablar, si está paralizada, si tiene convulsiones o si las pupilas son de tamaño desigual.

Otra señal de fractura de cráneo es la presencia de sangre o de un fluido claro que sale por la nariz o los oídos.

Primeros auxilios

- Trate la lesión como si fuera una fractura del cuello, ya que las fracturas de la cabeza y el cuello pueden ser simultáneas.
- Compruebe el pulso y la respiración, y haga respiración artificial

o resucitación cardiopulmonar si es necesario.
- Detenga la hemorragia poniendo una gasa esterilizada (o un trozo de tela limpia) sobre la herida, y aplique la presión apropiada.
- Observe si hay síntomas de shock. No dé líquidos.
- No mueva a la víctima. Busque inmediatamente ayuda profesional.

Fracturas de pelvis o de cadera

Estas fracturas se producen como resultado de caídas, especialmente en personas de edad, y con cierta frecuencia pueden ocurrir espontáneamente por causa de la debilidad de los huesos (osteoporosis). Los síntomas incluyen dolor en la parte inferior de la espalda, que se acentúa cuando se mueve la pierna, y dolor en la cadera, en la ingle y en el pubis.

Primeros auxilios

- No mueva a la víctima. El movimiento puede producir lesiones en los órganos pélvicos.

- Si es indispensable mover a la víctima, use los mismos métodos de la fractura de espalda.
- Mientras espera ayuda médica, mantenga a la víctima tan cómoda como sea posible, y observe si se presentan síntomas de shock.

Fracturas de costillas

Las fracturas de costillas se producen por caídas, accidentes automovilísticos o por golpes contra objetos agudos. Si el extremo de una costilla rota perfora un pulmón o el corazón, o si se rompen los vasos sanguíneos dentro del tórax, corre peligro la vida de la víctima. Cuando una costilla perfora un pulmón, éste puede colapsarse, y puede haber tos con expulsión de sangre roja y espumosa.

Cuando se fracturan varias costillas del mismo lado, esa parte de la pared torácica pierde su rigidez. Cuando la víctima inhala el aire, la parte lesionada se hunde e impide que los pulmones se llenen de aire. Cuando exhala, esa parte se proyecta hacia afuera. La víctima evita respirar, y especialmente toser, a causa del fuerte dolor que le produce.

Primeros auxilios

- Verifique el pulso y la respiración de la víctima, y observe si hay síntomas de shock. Adopte las medidas necesarias.
- Considere los problemas de la víctima. Si el dolor es el principal síntoma, o si ha perdido la rigidez torácica (vea arriba), habría que estabilizar el tórax mediante un vendaje adecuado (uno ancho o varios más angostos) colocado firmemente alrededor del pecho (comenzando por debajo de las axilas), para facilitarle la respiración y para que la parte lesionada del pecho no se proyecte hacia afuera cada vez que respira.
- Ponga a la víctima en una posición ligeramente reclinada para facilitarle la respiración.
- Consulte al médico o lleve al paciente al servicio de emergencia de un hospital.

Métodos de entablillado de piernas: (a) pierna en entablillado acolchonado, hecho rígido con un palo; (b) pierna entablillada entre dos tablas acolchonadas; (c) la pierna lastimada es sujeta a la pierna sana.

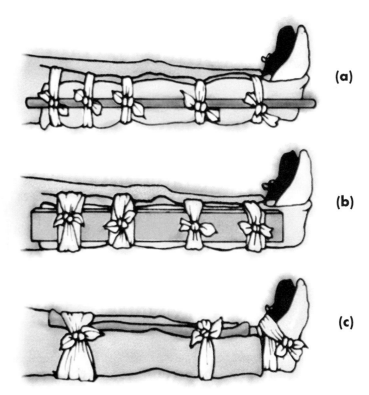

(a)

(b)

(c)

Heridas y lesiones

Una herida es una lesión cuyo resultado es la interrupción de la relación normal de los tejidos entre sí. Cuando se produce en la piel o en las mucosas, se dice que es una herida abierta. Si ocurre en los tejidos internos, se llama herida cerrada.

Hay diversas clases de heridas: las abrasiones, cuando la piel o las mucosas sufren raspaduras o excoriaciones; las incisiones, cuando los tejidos han sido cortados con un cuchillo o algún otro material cortante como vidrio o plástico; las laceraciones, cuando los tejidos han sido desgarrados por un objeto sin filo y desparejo; las punciones, cuando un objeto duro (cuchillo, bala, clavo o espina) hace un agujero al penetrar en la piel o la mucosa, hasta llegar a los tejidos subyacentes; y las avulsiones, cuando se arrancan los tejidos de sus estructuras de apoyo, como ser la pérdida del cuero cabelludo cuando el pelo se enreda en una máquina, o bien la perdida de una pierna en una explosión.

Cualquier órgano o parte del cuerpo puede sufrir una o varias de estas heridas. Muchas de ellas ya han sido descritas y se ha explicado su tratamiento en otra parte de esta obra.

El espacio no nos permite describir cada tipo de herida que se puede producir en cada órgano y estructura del cuerpo. Aquí analizaremos los principios generales relativos a los primeros auxilios para heridas y lesiones que no se han explicado todavía.

Primeros auxilios en casos de heridas y lesiones

- Haga sólo lo necesario para preservar la vida, impedir daños adicionales y promover la recuperación.
- En caso de herida grave, pida inmediatamente ayuda médica, y cuando sea necesario, lleve a la víctima al médico o al servicio de emergencia de un hospital.
- Mantenga expeditas las vías respiratorias, verifique la respiración y el pulso, y cuando sea necesario haga respiración artificial o resucitación cardiopulmonar.
- Observe si hay síntomas de shock, y si los hay, trátelos como corresponde (véase la pág 10).
- Detenga inmeditamente la hemorragia. Ponga una gasa esterilizada o un trozo de tela limpia sobre la herida y ejerza presión Si esto no da resultado, aplique presión sobre los vasos sanguíneos que irrigan la zona en los puntos de presión correspondientes. Si ni aun así se detiene el flujo de sangre, y si la herida se encuentra en alguno de los miembros, aplique un torniquete como último recurso.
- Si la herida se encuentra en uno de los miembros y no hay fractura, ponga en alto la extremidad para

reducir la pérdida de sangre.

- No trate de limpiar la herida, salvo para irrigarla con agua fresca a fin de eliminar cuerpos extraños y aliviar el dolor. Cubra la zona con gasa esterilizada, tela limpia, un trozo de plástico o hasta con papel de aluminio.
- Inmovilice la parte herida.
- Si la víctima tiene una herida en la cabeza, el cuello o la espalda, no la mueva, a no ser para rescatarla de un incendio, una explosión o impedir que se ahogue, etc., y a continuación siga procedimientos definidos.

Heridas abdominales

Las heridas en las cuales el abdomen ha sido abierto, o ha recibido una puñalada o un disparo, son muy graves, porque pueden producir a la vez hemorragia e infección.

Primeros auxilios

- Mantenga a la víctima de espaldas. Ponga una frazada doblada debajo de las rodillas para mantenerlas flexionadas a fin de relajar los músculos abdominales.
- Si los intestinos salen por la herida, no trate de introducirlos. Cúbralos con un trozo de tela limpia, un pedazo de plástico o papel de aluminio.
- Controle la pérdida de sangre aplicando sobre la herida una compresa de gasa y ejerciendo presión.

Abrasiones

En este caso la piel ha recibido violentas escoriaciones o raspaduras. Con

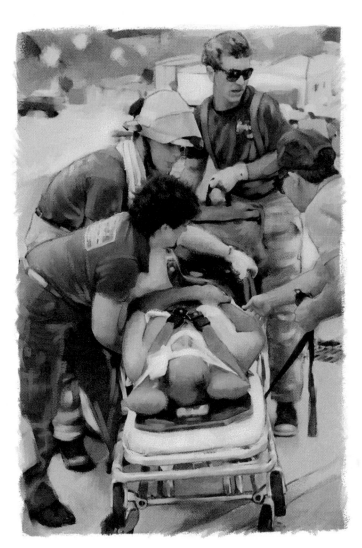

La víctima inmovilizada es transportada al hospital.

frecuencia penetran en la herida pequeñas particulas de tierra, arena u otros materiales.

Primeros auxilios

- Saque la ropa que cubre la herida, y lave ésta suavemente con agua y jabón, y elimine en lo posible todo el

Los bordes de una herida superficial pueden ser juntados con cinta adhesiva o curitas, y se puede aplicar presión hasta que se detenga la hemorragia.

polvo o la tierra que podrian haber penetrado en ella. Cúbrala con gasa esterilizada o tela limpia.

• Consulte al médico para ver si es necesario aplicar una inyección antitetánica.

Contusiones

Las contusiones son lesiones que se producen en los tejidos que se encuentran debajo de la piel, en los que ésta no ha recibido daño. Son el resultado de un choque violento, de una caída contra un objeto duro o de un golpe aplicado con un objeto con-

tundente. En estos casos los vasos sanguíneos se rompen y la sangre se derrama por los tejidos. Cuando ésta se difunde, produce el color azulado característico de la lesión que comienza a sanar.

Primeros auxilios

• Las compresas frías aplicadas durante las primeras 24 horas tienden a reducir la hinchazón.

• Después de eso, las aplicaciones alternadas de agua fría y caliente aumentan la circulación y promueven la curación.

Ojo negro (ojo en compota)

Trátelo como si fuera una contusión. Si la víctima ve doble, consulte al médico.

Contusión del dedo y la uña

Muchas veces una puerta aprieta los extremos de los dedos, o éstos reciben un golpe de martillo. La sangre se suele acumular entonces debajo de la uña, y como consecuencia de la intensa presión interna, el dolor es muy agudo.

Primeros auxilios

• Trátelo como si fuera una contusión.
• Para aliviar el intenso dolor producido por la acumulación de sangre debajo de la uña, caliente un alambre en una llama hasta que esté al rojo; luego presione suavemente el extremo caliente sobre la uña lastimada. Se producirá una abertura por la cual saldrá la sangre acumulada.

Heridas penetrantes en el tórax

Las produce un cuchillo, una bala o cualquier objeto que perfore la pared torácica. En este caso puede entrar aire en el espacio que rodea los pulmones, y producir su colapso.

Primeros auxilios

• Pida a la víctima que expulse con fuerza el aire de los pulmones, e inmediatamente aplique una compresa de gasa o de tela limpia sobre la herida y manténgala en su lugar hasta que reciba ayuda médica; si ésta no llega inmediatamente, asegúrela con una venda firme. Lleve a la víctima a la sala de emergencia de un hospital.

Cortes y laceraciones

Los cortes son aberturas de la piel o las mucosas causadas por un instrumento afilado (cuchillo, vidrio, metal, madera). Los cortes se abren y sangran fácilmente. Las laceraciones son desgarramientos producidos por objetos sin filo que dejan bordes irregulares.

Primeros auxilios

• Los bordes de un corte superficial pueden unirse con tela adhesiva (o curitas); luego hay que aplicar presión hasta que cese la hemorragia.

• Si el corte ha afectado la capa profunda de la piel y los tejidos subyacentes, puede convenir una sutura. Esto puede ser realmente así cuando se necesita recortar los bordes irregulares de una herida. Consulte al médico o acuda a un servicio de emergencia.

Esguinces

Los esguinces los causan las torceduras repentinas y violentas de una articulación, acompañadas de estiramientos o desgarramientos de los ligamentos, tendones, músculos y vasos sanguíneos adyacentes. Los tobillos, los dedos, las muñecas y las rodillas resultan afectados con más frecuencia. Los sintomas más comunes son dolor, especialmente cuando se mueve la parte lesionada, e hinchazón.

Los tobillos, los dedos y las rodillas son las áreas afectadas con mayor frecuencia por esguinces.

Primeros auxilios

- Si se trata de un esguince leve, mantenga levantada la parte lesionada, y aplique compresas frías o bolsas de hielo durante el primer día para reducir la hinchazón.
- Si se trata de un esguince grave, aplique los primeros auxilios correspondientes a una fractura, ya que no se puede distinguir el uno de la otra. Consulte al médico o vaya a un servicio de emergencia. Un examen con rayos X determinará la clase de lesión y el tratamiento adecuado. Los esguinces graves con frecuencia requieren inmovilización de la parte afectada como si se tratara de una fractura.
- El médico podría recetar algún medicamento para aliviar el dolor.

Distensiones (estiramientos)

Las distensiones o estiramientos se producen por el abuso o ejercicio exagerado de un determinado músculo, lo que estira demasiado las fibras musculares y a veces causa su ruptura. Una distensión se puede producir cuando se levanta en forma inconveniente un objeto pesado, en actividades atléticas, por transportar maletas (valijas) pesadas sin suficientes períodos de descanso, o incluso cuando se da un paso en falso en una escalera.

Primeros auxilios

- Trate las distensiones de la espalda acostando a la víctima en una cama dura y aplicando calor a la parte afectada. Si el dolor persiste o si la distensión es grave, consulte al médico, porque el problema podría ser una hernia de disco.
- En el caso de distensiones en brazos o piernas, el descanso, junto con aplicaciones de compresas calientes y húmedas, debería producir un definido alivio.
- El médico podría prescribir algún medicamento para aliviar el dolor.

Exposición al medio ambiente

La exposición excesiva al frío, el calor o la luz solar puede causar graves daños a los tejidos, y poner en peligro la vida cuando afecta a todo el organismo. El calor del cuerpo, generado por un ejercicio intenso, puede tener efectos similares.

Congelación

La congelación es el intenso enfriamiento de los tejidos de una parte del cuerpo, con mayor frecuencia los dedos de los pies, las manos, las orejas, la nariz y las mejillas. Justo antes de congelarse, la piel adquiere una coloración rojizo violácea, pero pasa a un gris amarillento en cuanto se congela. Un síntoma común de congelamiento es la pérdida gradual del dolor, la sensibilidad y la función del órgano. No frote con nieve las partes congeladas, porque eso sólo aumentará la destrucción de los tejidos.

Primeros auxilios

- Si los primeros auxilios se dan al aire libre, envuelva la parte congelada con ropa seca, una frazada e incluso varias capas de papel de diario.
- Si se atiende a la víctima fuera de un hospital, en una casa, caliente inmediatamente la parte afectada poniéndola en agua tibia (38° a 40° C). No use una lámpara térmica, una bolsa de agua caliente, ni el calor de una estufa. El calentamiento puede demorar hasta una hora. La víctima experimentará dolor, a veces intenso, a medida que los tejidos congelados se calientan y recuperan su sensibilidad y su función. Se pueden formar ampollas que no se deben reventar, y también puede haber una fuerte hinchazón.
- Levante la parte afectada. No ejerza presión sobre ella; por el contrario, hágale hacer ejercicios suaves.
- Cubra la parte afectada con vendas esterilizadas o tela limpia.
- Acuda inmediatamente a un servicio de emergencia. Tenga cuidado de que la parte afectada no se vuelva a congelar, porque esto daña gravemente los tejidos. Es mejor demorar la descongelación si hay peligro de una nueva congelación.

Hipotermia

La hipotermia se produce cuan-

do la temperatura del cuerpo desciende por debajo de lo normal, es decir, 37°C. Cuando el cuerpo pierde más calor del que genera (como sucede durante una prolongada exposición al frío y al viento helado), la temperatura del cuerpo desciende gradualmente, y las funciones físicas y mentales se vuelven más lentas. Los ancianos, los niños y los alcohólicos, y las personas que toman psicotrópicos son más susceptibles. La víctima experimenta progresivamente escalofríos, insensibilidad, falta de coordinación, dificultad para hablar, confusión mental, letargo y coma, que desembocan en un paro cardíaco y en la muerte.

Primeros auxilios

- Verifique los signos vitales de la víctima, y dé respiración artificial si es necesario.
- Envuélvala en frazadas o ropas

La congelación es el intenso enfriamiento de los tejidos de una parte del cuerpo, con mayor frecuencia los dedos de los pies, las manos, las orejas, la nariz y las mejillas.

Los calambres producidos por el calor, que se manifiestan durante ejercicios intensos, son dolorosas contracciones musculares. La evidencia sugiere que se debe a la deshidratación.

tibias, y llévela inmediatamente a un refugio o a un servicio de emergencia Las bolsas de agua caliente pueden proveer calor, pero no las aplique a las partes congeladas.

- Sáquele la ropa mojada o húmeda, y si la hipotermia es leve (la persona está consciente pero tiene mucho frío), déle una bebida caliente, pero NO alcohol.
- Si la hipotermia es grave, envuelva a la víctima en frazadas calientes, o póngala en un baño con agua no muy caliente (puede probar la temperatura con el codo) Insistimos: el agua no debe estar caliente. La recuperación de la temperatura normal (recalentamiento) puede demorar varias horas.
- Algunas víctimas entran en estado de shock durante el recalentamiento, y por eso es mejor que esta operación se practique en un hospital o en un servicio de emergencia. Si esto no es posible (porque está en un campamento, por ejemplo), pongala en una bolsa de dormir junto con otra persona que tenga la temperatura normal.

Calambres producidos por el calor

Los calambres producidos por el calor, que se manifiestan durante un período de ejercicios intensos, son dolorosas contracciones musculares. Durante mucho tiempo se creyó que la principal causa de esto era la pérdida de sal. La evidencia de que disponemos ahora sugiere que la deshidratación es la verdadera causa, y que la

pérdida de sal rara vez ocurre.

Primeros auxilios

- Aplique masajes a los músculos afectados y estírelos suavemente. La contracción de los músculos opuestos produce buenos resultados.
- Déle a beber mucha agua. No es necesario darle sal, a menos que beba más de nueve litros. Si se bebe agua en abundancia antes, durante y después de un ejercicio intenso, se evitarán estos dolorosos calambres

Postración por calor (insolación)

La postración por calor se puede producir como consecuencia de la exposición prolongada a un calor excesivo y a un elevado índice de humedad, o bien puede ser el resultado de un ejercicio intenso practicado en un ambiente caluroso y húmedo, porque los mecanismos del organismo resultan insuficientes para desprenderse del exceso de calor generado. Los síntomas incluyen una moderada elevación de la temperatura (39°C). abundancia de sudor, piel viscosa, fatiga, respiración acelerada, dolor de cabeza, calambres y tendencia al desmayo. La deshidratación es común en estos casos.

Primeros auxilios

- Déle agua en abundancia. Si la víctima siente náuseas, que la beba a sorbos.
- Trasládela a un lugar fresco. Póngale trapos húmedos en la fren-

te y las muñecas, e instálele un ventilador, si tiene uno a mano.

- Acuéstela y levántele los pies a unos 30 cm por encima del nivel de la cabeza.
- Si está inconsciente, llévela de inmediato al hospital. Si éste se encuentra lejos, déle un enema de retención, de agua pura, que se absorberá fácilmente.

Insolación

La insolación es el más grave de los daños producidos por exceso de calor. Los jóvenes están más expuestos a ella cuando llevan a cabo ejercicios intensos. Pero los ancianos y los enfermos pueden experimentarla sin hacer ejercicios. La causa desencadenante es la elevada temperatura y la humedad.

Los síntomas, que se presentan repentinamente, son piel enrojecida, cálida y seca; falta de transpiración; confusión mental; letargo y estado de coma que aparece con rapidez. La temperatura puede elevarse a 41°C o más. Si no se aplica inmediatamente un tratamiento, la víctima entrará en estado de shock. Mientras más elevada sea la temperatura, tanto más grave será el pronóstico.

Primeros auxilios

- La insolación es una emergencia médica. Lleve a la víctima al hospital más cercano o al médico. Cuando eso no sea posible, las indicaciones que siguen pueden resultar útiles.

- Refresque a la víctima para bajarle la temperatura. Durante mucho tiempo se recomendó ponerla en una bañera con agua helada, pero ésto tiende a producir temblores corporales que a su vez elevan la temperatura interna. Da mejores resultados esponjar continuamente con agua fría la cara, el cuerpo y las extremidades. Un ventilador que proyecte aire sobre la víctima también ayuda. Reduzca la aplicación de agua fría cuando la temperatura haya llegado a 39°C, para evitar que descienda demasiado.
- Si la víctima se encuentra en un hospital, se le podrán administrar fluidos por vía intravenosa. Pero si no está en el hospital y se encuen-

La insolación es el más grave de los daños producidos por exceso de calor.

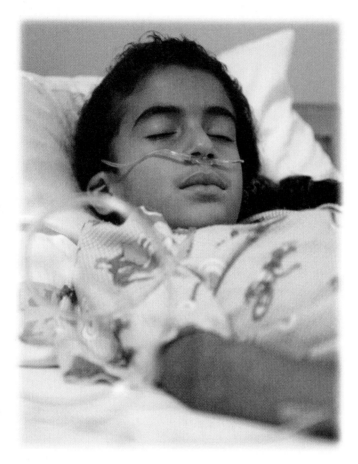

comunes son un ataque al corazón, apoplejía, coma diabético (escasa insulina y exceso de azúcar en la sangre), hipoglucemia (exceso de insulina y poca azúcar en la sangre), una herida en la cabeza, uremia, envenenamiento, sobredosis de drogas y paro cardíaco.

Primeros auxilios

- En todos los casos recurra a un médico o lleve a la víctima al servicio de emergencia de un hospital.
- Mientras tanto manténgala abrigada, expeditas las vias respiratorias, y si deja de respirar, déle respiración artificial. Si hay un paro cardiaco, adminístrele resucitación cardiopulmonar.

Desmayos

El desmayo es la pérdida momentánea del conocimiento debida a la reducción del flujo sanguíneo en el cerebro. Una causa común son las tensiones emocionales.

Primeros auxilios

- Acueste a la víctima en el suelo y levántele los pies. Por lo regular, volverá rápidamente en si. Pero si al cabo de uno o dos minutos no recupera el conocimiento, llame al médico.
- Si alguien está por desmayarse, siente a esa persona inclinada hacia adelante, con la cabeza entre las rodillas, y pídale que la levante mientras otra se la empuja hacia abajo. Esto contribuye a que la san-

Algunas de las causas más comunes de inconsciencia incluyen golpes a la cabeza, envenenamiento, sobredosis de drogas y paros cardiacos.

tra consciente, déle un vaso de agua fría (250 cc) cada 20 minutos.
- Cuando la temperatura descienda al nivel normal, seque a la víctima. Pero verifique la temperatura por un tiempo, y si ésta comienza a subir de nuevo, aplique otra vez los esponjamientos con agua fría.
- NO le dé bebidas alcoholicas.

Estado de coma

Diversas circunstancias pueden producir un estado de coma. Las más

gre irrigue el cerebro, lo que evita el desmayo.

Convulsiones

Las convulsiones van acompañadas de repentina pérdida de la conciencia y rigidez, seguida de contracciones musculares más o menos violentas. Mientras los músculos están rígidos, la víctima deja de respirar, pierde el control de la vejiga y los intestinos, y puede morderse la lengua. Las numerosas causas de convulsiones incluyen la epilepsia, heridas en la cabeza, apoplejía, meningitis, supresión de alcohol o drogas, sobredosis de drogas, envenenamientos, y en los niños fiebre alta.

Primeros auxilios

- Evite que la víctima se golpee y se lastime. Ubíquela sobre una cama o en un lugar blando. Póngale un pañuelo enrollado entre los dientes, nunca un objeto duro.
- Permita que se produzcan las convulsiones, y no trate de impedir los movimientos de la víctima.
- No ponga a un niño con fiebre alta en un baño con agua; en cambio, espónjelo con agua tibia.
- No le dé líquidos, pero adminístrele respiración artificial si es necesario.
- Después del ataque, deje que la víctima duerma y descanse.
- Procure la ayuda de un médico.

Delirio

El delirio es un estado de trastorno mental en el que la víctima está confundida, inquieta, ansiosa y es incapaz de colaborar; su imaginación está fuera de todo control. Entre las causas de delirio se encuentran la fiebre alta, la intoxicación aguda con alcohol o drogas, el envenenamiento y diversas enfermedades graves.

Primeros auxilios

- Proteja a la víctima para que no se lastime, y manténgala en un ambiente tranquilo.
- Procure la ayuda de un médico. Si éste demora en llegar y la víctima puede cooperar, anímela a tomar agua.

Ahogamiento

El ahogamiento se produce cuando el agua entra en la laringe, lo cual produce espasmos, o cuando penetra en los bronquios y los pulmones. Si no se rescata a la víctima a los pocos minutos, el cerebro y otros órganos pueden sufrir daños permanentes debido a la falta de oxígeno. Si no lo recibe por mucho tiempo, morirá sin remedio.

Los ahogamientos son la cuarta causa de muertes accidentales en los Estados Unidos, y el número más elevado de ellos se encuentra en niños de menos de un año. De éstos, alrededor del 70 por ciento se ahogan en la bañera. Un número creciente de niños se ahoga en piscinas. El 50 por ciento de los ahogamientos de gente joven y adulta se relaciona con el consumo de alcohol. Este accidente está íntima-

El riesgo de ahogamiento es una preocupación seria cuando se practican deportes acuáticos.

mente relacionado con los deportes que se practican en el agua.

Los pasos que conducen al ahogamiento pueden variar, pero por lo común siguen este orden: la víctima se aterra, y mientras lucha para mantener la cabeza fuera del agua, respira rápida y profundamente. Luego se agota, y al sumergirse contiene la respiración. Después traga agua, vomita y a continuación tose con violencia. Finalmente queda sin aliento y los pulmones se le llenan de agua. A esto le sigue la inconsciencia con convulsiones, y la muerte.

La muerte por ahogamiento ocupa el cuarto lugar entre las muertes por causas accidentales en los Estados Unidos.

Precauciones

A menos que esté adiestrado y sea capaz de ayudar al que se se está

ahogando, un observador inexperto no debería meterse al agua para tratar de salvar a una víctima, sino que debe **pedir ayuda.** Demasiados presuntos salvadores se han ahogado junto con las víctimas que pretendían rescatar.

- Arrójele a la víctima un salvavidas, un chaleco salvavidas, una botella de plástico, una cuerda, o cualquier cosa que flote y de la que se pueda asir mientras se la rescata.
- Si hay a mano un bote, reme hasta llegar junto a la víctima y llévela flotando a la orilla, sin tratar de meterla en el bote, porque al intentarlo éste se podría volcar.
- Si la víctima tuvo un accidente que le causó lesiones en el cuello o en la espalda, no la saque del agua. Llévela flotando hacia la orilla, o bien ponga debajo de ella una tabla o una camilla, y levántela así para sacarla.
- Si la víctima ha caído al agua a través de un agujero producido por su propio peso en una capa fina de hielo, pídale que ponga los brazos y el pecho en el borde del hielo, y luego arrójele una cuerda o extiéndale un trozo largo de madera o una rama para sacarla de allí. Si hay suficientes colaboradores, pídales que se pongan boca abajo sobre el hielo para formar una cadena humana que llegue hasta la víctima.

Primeros auxilios

- Si la víctima deja de respirar, déle respiración boca a boca, si es posible mientras todavía se encuentra en el agua. Si no se le infla el pecho, no le extraiga el agua de los pulmones; más bien sople con más fuerza dentro de ellos. Tenga especial cuidado de no inflar demasiado los pulmones de un bebé o de un niño pequeño.

• Cuando la víctima ya está en la orilla, y descubre que no tiene pulso, comience la resucitación cardiopulmonar. Continúe durante una hora a menos que la víctima reaccione antes. Llévela al hospital inmediatamente, porque estos cuasi ahogamientos suelen producir complicaciones graves.

Emergencias provocadas por zambullidas

Zambullidas. En una zambullida pueden producirse lesiones graves en la cabeza y en el cuello cuando la primera se golpea contra una roca o contra el fondo de una piscina (pileta de natación). **Zambullidas profundas.** Los nadadores provistos de equipo especial pueden zambullirse a profundidades de más de 30 metros. El ahogamiento se puede producir por falla del equipo o porque las mangueras se enredaron en las algas o en las rocas, privando de oxígeno a la persona.

Trastornos producidos por la descompresión. Cuando los nadadores permanecen demasiado tiempo a profundidades mayores de diez

metros, y luego ascienden a la superficie sin dar tiempo a que los gases disueltos en la sangre y en los fluidos corporales alcancen su nuevo equilibrio (descompresión), se forman burbujas de gas en sus tejidos que producen trastornos graves.

Los síntomas que se presentan en

el nadador poco después de salir del agua, incluyen dolor en las articulaciones, dolor en el pecho con tos y dificultad para respirar, parálisis de ciertos músculos, trastornos de la visión y mareos.

Primeros auxilios

• Para el caso de **trastornos por descompresión,** se requiere un equipo especial. Pregunte a los guardavidas de la playa dónde se lo puede conseguir, y solicite ayuda profesional. Si ésta se demora mucho, y si la víctima está en con-

En una zambullida pueden producirse lesiones graves en la cabeza y en el cuello cuando la primera se golpea contra una roca o contra el fondo de una piscina.

65

diciones, puede zambullirse de nuevo hasta una profundidad conveniente a fin de que se disuelvan las burbujas de gas, para que después pueda ascender con más calma a la superficie.

Hernia

La hernia es consecuencia de la salida del intestino a través de una zona debilitada de la pared abdominal.

Primeros auxilios

- Por lo común es muy sencillo, especialmente para empezar, introducir de nuevo la hernia en el abdomen (reducirla) aplicando presión sobre ella con los dedos. Si se acuesta a la víctima de espaldas, con las caderas levemente levantadas y las rodillas dirigidas hacia los hombros, se puede facilitar este procedimiento. Si no se logran resultados, convenza a la víctima que consulte al médico inmediatamente.

Hipo

El hipo es una contracción repentina y espontánea del diafragma, durante la cual la inhalación se interrumpe abruptamente por que se cierra la laringe. El hipo ocurre generalmente a intervalos de pocos segundos, y la mayor parte de los ataques termina al cabo de unos minutos. Sin embargo, a veces, especialmente después de una cirugía abdominal o en relación con enfermedades graves, un ataque puede durar horas y hasta días,

y puede llegar a ser una amenaza para la vida.

Primeros auxilios

- Se recomiendan varios procedimientos sencillos para remediar el hipo: beber agua, especialmente mientras se encuentra inclinado hacia adelante y tomándola desde el lado opuesto del vaso; retener la respiración; chupar hielo; soplar aire en una bolsa de papel cuyos bordes cubran la nariz y la boca.
- Si estas sencillas medidas resultan ineficaces, consulte al médico.

Intoxicación con alcohol

La intoxicación con alcohol reduce las funciones físicas y mentales de una persona. Sus movimientos se vuelven torpes y carecen de coordinación. Pierde la agilidad mental, su juicio es deficiente y su capacidad de comprensión está distorsionada. A veces el intoxicado puede ser violento y hasta peligroso. O puede caer en un sopor, y llegar al coma.

Primeros auxllios

- Si la persona intoxicada da señales de shock (piel fría y viscosa, pulso rápido y débil, y respiración irregular), llame al médico.
- Si a la víctima le cuesta respirar, déle respiración artificial. Mantenga expeditas las vías respiratorias poniéndole la cabeza de lado para que los vómitos puedan fluir de la boca.
- Mantenga abrigada a la víctima.

La intoxicación con alcohol reduce las funciones físicas y mentales de una persona.

Las personas intoxicadas pierden calor con mayor rapidez que la gente normal.

Vómitos

Los vómitos pueden deberse a fallas en la alimentación, a una infección gastrointestinal, o pueden ser un síntoma de una enfermedad grave. Si algunas medidas sencillas no traen alivio al cabo de un día, consulte al médico.

Primeros auxilios

- Acueste a la víctima y manténgala bien abrigada.
- Anímela a beber agua en abundancia. Déle sorbos de agua helada o un trozo de hielo para chupar. También puede darle un caldo caliente para que lo tome en pequeños sorbos.
- Si los vómitos continúan, llame al médico, quien determinará la causa de ellos y prescribirá los medicamentos adecuados.
- Si la víctima está inconsciente, mantenga las vías respiratorias libres de vómitos, y procure la ayuda de un médico.

67

El botiquín familiar de primeros auxilios

BOSQUEJO

- Precauciones
- El contenido del botiquín
- Uso común de los medicamentos
- Equipos de artículos para primeros auxilios

Los estudios hechos demuestran que nueve de cada diez dolores y lesiones menores los cura la persona misma con algún medicamento que se consigue fácilmente, o por medio de procedimientos sencillos. De los demás problemas, menos de la mitad los atiende algún profesional de la medicina. El botiquín familiar suele contener artículos como tela adhesiva, vendajes, pomadas, desinfectantes y remedios para dolores de cabeza, molestias estomacales, resfríos, tos, diarrea y constipación.

Precauciones

La regla más importante para el manejo de su botiquín es ésta: " ¡Tenga cuidado!" Los padres y los encargados de niños pequeños deberían saber que la aspirina y los medicamentos que contienen sales de hierro se encuentran entre las causas más comunes de envenenamiento entre ellos. Les gusta jugar al doctor y la enfermera, y cuando los padres no están, a veces abren el botiquín. Los resultados suelen ser trágicos. Las medicinas deben estar fuera del alcance de los niños, aun cuando se encuentren en frascos que teóricamente ellos no pueden abrir. Se les debería enseñar desde la infancia a no tomar medicamentos a menos que se los dé el padre o la madre, la enfermera o la maestra. No anime al niño a tomar una medicina diciéndole que es una golosina. Puede ser dulce, pero no es golosina.

Tome nota de la fecha de vencimiento de todos los medicamentos que compra, ya sea con receta o de venta libre. Si tiene dudas acerca de un medicamento que ha estado en el botiquín por algún tiempo, consulte con el farmacéutico antes de usarlo.

CAPITULO 4

Él le puede decir también qué medicamentos debe guardar en la heladera (refrigeradora), y cuáles se conservan bien en un cajón o en el botiquín. Todas las medicinas deberían tener una etiqueta. No use nunca un medicamento que se encuentre en un envase sin etiqueta.

Los medicamentos deben estar fuera del alcance de los niños, en un cajón o botiquín, siempre con llave.

No es prudente recetarle medicinas sobrantes a otro miembro de la familia o a un vecino que al parecer tiene el mismo problema que tuvieron Ud. u otro familiar. Antes de volver a tomar un medicamento, consulte a su médico.

No arroje tabletas, ni cápsulas, ni inyecciones o pomadas en lugares donde los podrían encontrar los niños. Siempre que sea posible, échelos al inodoro y deje correr el agua. En caso contrario, colóquelos en un envase que los niños no puedan abrir y tírelos a la basura. Rompa siempre las agujas de las jeringas descartables antes de deshacerse de ellas.

El contenido del botiquín

Es importante tener en el botiquín algunos artículos básicos que se puedan usar en cualquier momento cuando surja una emergencia, sin tener que perder tiempo para ir a comprarlos. La siguiente lista está muy bien para empezar. Ud. le puede añadir otros elementos a medida que los vaya necesitando. Pero esté seguro de disponer siempre de una cantidad adecuada.
Equipo
Tijera de tamaño mediano.
Dos goteros o cuentagotas.
Pinzas de punta delgada.
Jeringa de goma blanda, pequeña.
5 jeringas descartables con sus agujas (1 ml).
Aguja de coser de tamaño mediano.
Cucharita de té o copa para medir, pequeña.
Bolsa de goma para agua caliente.
Alfileres de seguridad (de gancho), 6

medianos y 6 grandes.
Bolsa de hielo.
Hojas de afeitar, con soporte de seguridad.
Termómetros clinicos:
  • Uno para la boca.
  • Otro para el recto.
Linterna.
Una caja de fósforos.
Orinal (opcional).

Artículos
Algodón absorbente y esterilizado.
Bolitas de algodón esterilizado.
Gasa esterilizada en paquetes.
  • 4 de 5 cm por lado.
  • 4 de 20 cm por lado.
Palillos con algodón en los extremos.
Cinta adhesiva de 2,5 cm de ancho
Parches adhesivos (curitas) de diversos tamaños.
Rollos de vendas:

- Un rollo de 2,5 cm de ancho.
- Un rollo de 5 cm de ancho
- Un rollo de 7,5 cm de ancho.

Un equipo para enemas.

Alcohol para fricciones; una botella de 500 ml.

Vaselina, 100 gm.

Glicerina, 200 ml.

Carbón activado:
- En polvo, 100 gm
- En tabletas, un frasco de 50.

Jabón antiséptico, en barra o líquido.

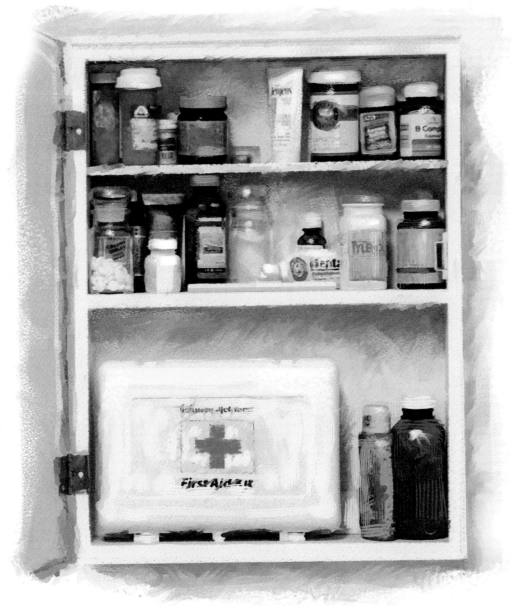

No arroje tabletas, ni cápsulas, ni inyecciones o pomadas en lugares donde los podrían encontrar los niños.

Antiséptico para la piel, una botella chica.
Leche de magnesia, un frasco mediano.

Medicamentos

Pomada con ácido bórico al 5 por ciento.Pomada con óxido de zinc.
Colirio, un frasco mediano.
Aceite de eucalipto, un frasco chico.
Antihistamínico: Clorotrimetón.
Nitroglicerina sublingual: tabletas de 0,3 mg.

Adrenalina (norepirefrina): 5 ampollas de 1 ml con 5 jeringas descartables de 1 ml.
Sales de Epsom, 500 gm.
Jarabe de ipecacuana, 50 ml.
Gotas para dolor de oído, un frasco pequeño.
Loción de calamina, 100 ml.
Antiácidos: hidróxido de aluminio o de magnesio, 25 tabletas.
Jarabe para la tos, un frasco pequeño.
Tylenol, en tabletas.

Uso común de los medicamentos

Glicerina: para humedecer los labios o los contornos de la boca.

Carbón: en polvo para envenenamientos; en tabletas para indigestiones.

Pomada con ácido bórico: previene la infección.

Ungüento con zinc: seca la piel, previene la infección.

Aceite de eucalipto: para nebulizaciones.

Antihistamínicos: reacciones alérgicas.

Nitroglicerina: para los dolores provocados por angina de pecho.

Adrenalina: en caso de reacciones alérgicas a las mordeduras o picaduras de insectos.

Leche de magnesia: laxante.

Sales de Epsom: para catarsis, o baños de brazos o piernas.

Jarabe de ipecacuana: para provocar vómitos.

Gotas para los oídos: infección leve del oído externo.

Loción de calamina: para escozor de la piel.

Antiácidos: indigestión ocasional.

Jarabe para la tos: para la tos seca.

Tylenol: dolor leve de los músculos o dolores pasajeros de cabeza.

Medicinas para emergencias

Antisépticos: Para toda herida superficial que se infecte. Tal vez sea más importante lavar cuidadosamente la herida con agua y jabón suave.

Eméticos: Estos medicamentos producen vómitos. El jarabe de ipecacuana los produce rápidamente.

Nitroglicerina: Para aliviar un ataque de angina.

Adrenalina: Se la debe inyectar solamente en caso de reacción alérgica grave o en un shock anafiláctico.

Antihistamínicos: Se aplican combinados con adrenalina en caso de reacción alérgica grave, o picaduras de ciertos insectos.

Equipos de artículos para primeros auxilios

Muchos fabricantes ofrecen equipos de artículos para primeros auxilios, que a veces son de tamaño reducido y se los puede ubicar en una caja. Están embalados a prueba de contaminación y destrucción, y generalmente tienen las instrucciones impresas en el exterior. Su costo adicional se compensa con el tiempo. Posiblemente Ud. pueda conseguir uno en su farmacia.

Evidentemente es imposible llevar todo su botiquín de remedios cuando se hace un viaje. Pero es prudente llevar los artículos para primeros auxilios que se podrían necesitar. Si va a un lugar donde hay serpientes venenosas, asegúrese de incluir en su equipo los elementos necesarios, que se pueden adquirir en la farmacia. Si lo acompaña alguien a quien le puede dar un ataque de angina, incluya tabletas de nitroglicerina. Ud. mismo puede preparar su botiquín con artículos de primeros auxilios para ponerlos en una caja de herramientas, por ejemplo.

Toda familia debe disponer de un manual de primeros auxilios como los que publica la Cruz Roja. Ese libro presenta en forma resumida lo que se debe hacer en una amplia variedad de emergencias. Se lo puede conseguir en las oficinas de la Cruz Roja local.

Diagnóstico rápido de problemas

Los diagramas que aparecen en las páginas siguientes le ayudarán a reconocer con rapidez algunos de los síntomas más comunes acerca de los cuales se suele quejar la gente. Todas las preguntas que se formulan se pueden contestar con un SÍ o un NO. Después de contestar una pregunta pase a la siguiente y así sucesivamente hasta llegar al final, donde se le recomendará el tratamiento adecuado. Se le dirá también si debe consultar al médico. Cuando los síntomas sugieren que el problema es una emergencia médica que no se trata inmediatamente, la recomenda-ción aparecerá dentro de un casillero delimitado por líneas rojas e impreso en rojo.

El siguiente ejemplo le demos-trará la forma de usar estos diagra-mas. Si el dolor de espalda es fuerte, Ud. debe contestar "Sí" y seguir la línea hasta el casillero que pregunta: "¿Se produjo repentinamente?" Las líneas indican una posible serie de res-puestas que lo llevan a la recomenda-ción "Consulte inmediatamente al médico". Puesto que se trata de una emergencia médica, la recomenda-ción se encuentra en un casillero impreso en rojo.

BOSQUEJO

- Dolor de espalda
- Dificultad para respirar
- Dolor en el pecho
- Tos
- Dolor de oido
- Problemas en los ojos
- Fiebre (adultos)
- Fiebre (bebé o niño)
- Dolor de cabeza
- Prurito (picazón, escozor)
- Dolores en las articula-ciones
- Dolores en el cuello
- Indisposición
- Falta ocasional de mens-truación
- Dolor de garganta

Dolor de espalda

SÍ — ¿Estaba Ud. inclinado o torcido cuando comenzó el dolor? → **SÍ** → Puede tener una tensión en un ligamento o un estira-miento de músculo.

NO → Puede tener un cálculo en la uretra o una infec-ción renal. Consulte inmediatamente al médico.

¿Se produjo repentinamen-te? — **SÍ**

NO

¿Es fuerte el dolor? — **SÍ**

¿Le duele al lado o el costado? — **SÍ** / **NO**

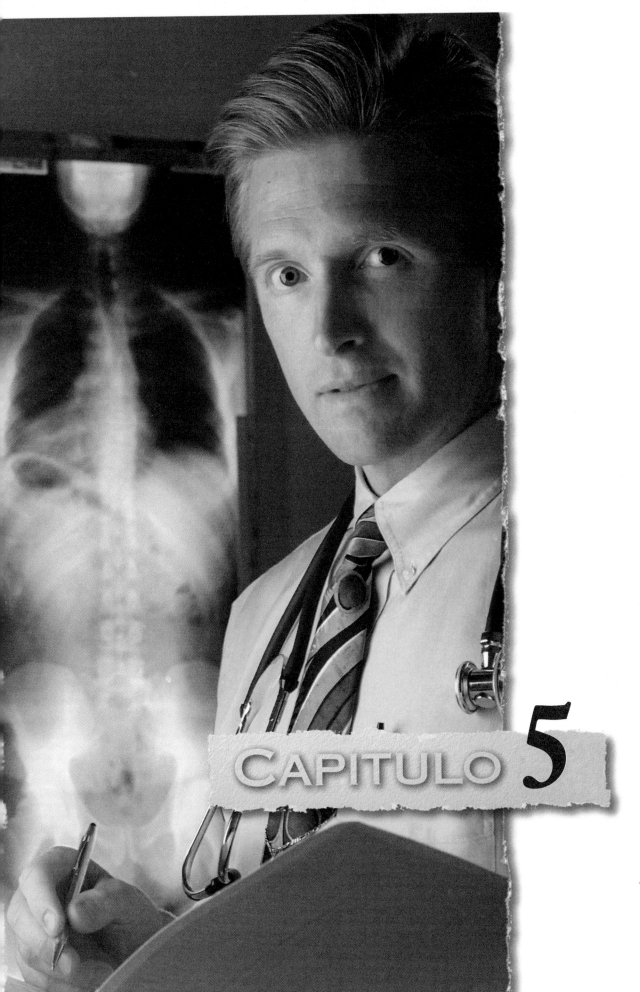

CAPÍTULO **5**

Dolor de espalda

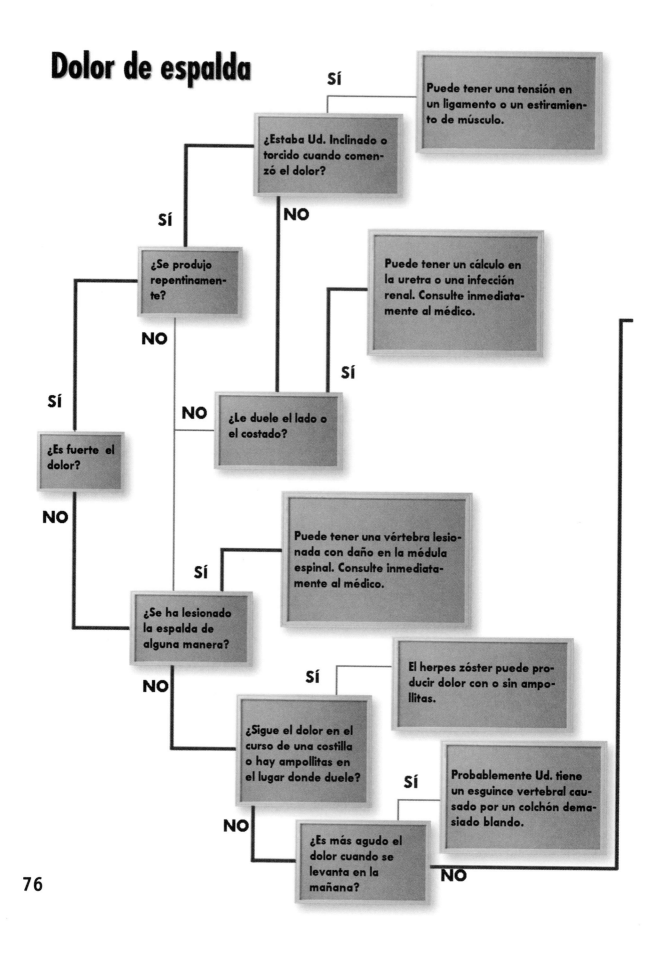

SÍ → Puede tener una tensión en un ligamento o un estiramiento de músculo.

¿Estaba Ud. Inclinado o torcido cuando comenzó el dolor?

SÍ — **NO**

¿Se produjo repentinamente?

SÍ — **NO**

Puede tener un cálculo en la uretra o una infección renal. Consulte inmediatamente al médico.

SÍ

¿Le duele el lado o el costado?

NO

¿Es fuerte el dolor?

SÍ — **NO**

Puede tener una vértebra lesionada con daño en la médula espinal. Consulte inmediatamente al médico.

SÍ

¿Se ha lesionado la espalda de alguna manera?

NO

El herpes zóster puede producir dolor con o sin ampollitas.

SÍ

¿Sigue el dolor en el curso de una costilla o hay ampollitas en el lugar donde duele?

NO

Probablemente Ud. tiene un esguince vertebral causado por un colchón demasiado blando.

SÍ

¿Es más agudo el dolor cuando se levanta en la mañana?

NO

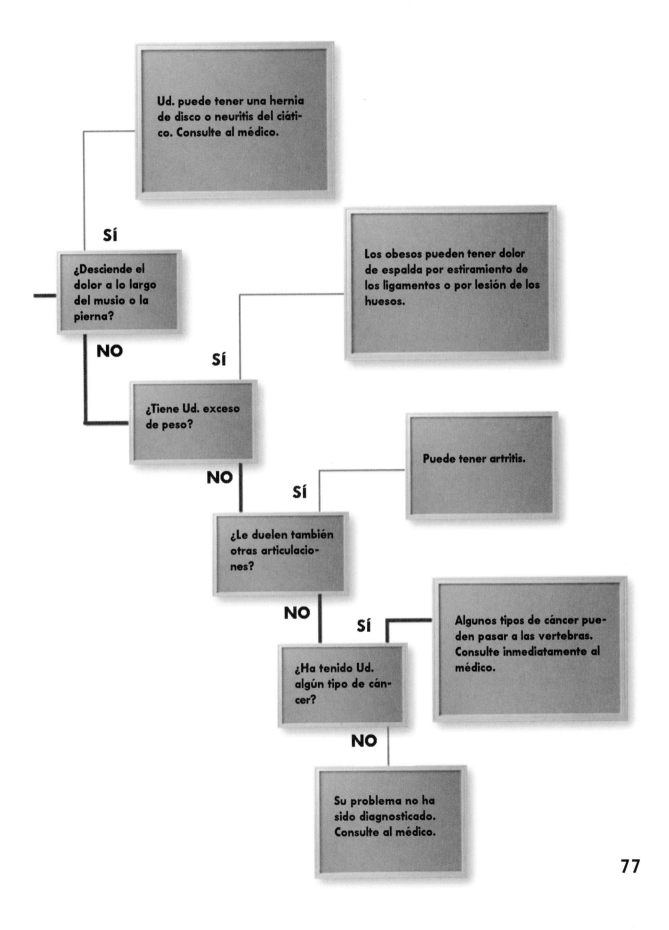

Ud. puede tener una hernia de disco o neuritis del ciático. Consulte al médico.

SÍ

¿Desciende el dolor a lo largo del musio o la pierna?

NO

Los obesos pueden tener dolor de espalda por estiramiento de los ligamentos o por lesión de los huesos.

SÍ

¿Tiene Ud. exceso de peso?

NO

Puede tener artritis.

SÍ

¿Le duelen también otras articulaciones?

NO

Algunos tipos de cáncer pueden pasar a las vertebras. Consulte inmediatamente al médico.

SÍ

¿Ha tenido Ud. algún tipo de cáncer?

NO

Su problema no ha sido diagnosticado. Consulte al médico.

77

Dificultades para respirar

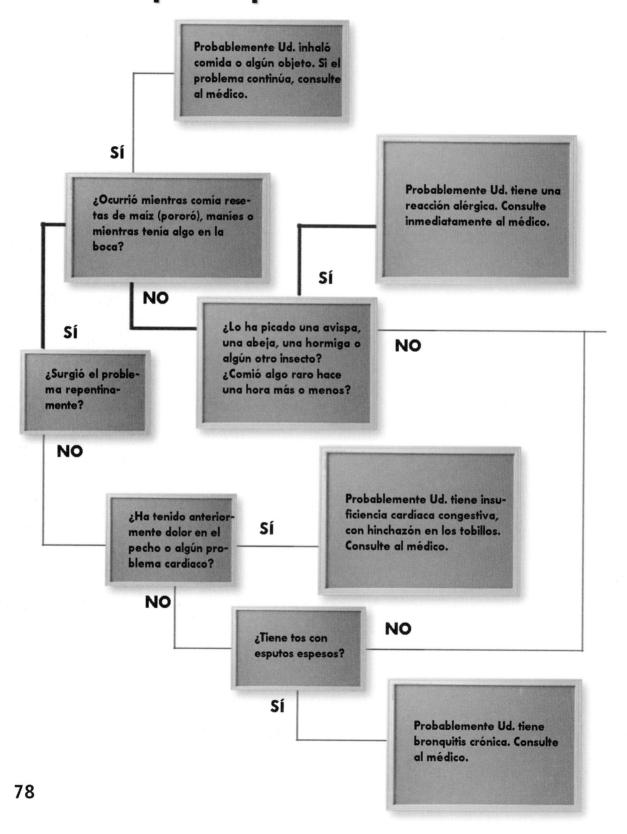

Probablemente Ud. inhaló comida o algún objeto. Si el problema continúa, consulte al médico.

SÍ

¿Ocurrió mientras comía resetas de maíz (pororó), maníes o mientras tenía algo en la boca?

Probablemente Ud. tiene una reacción alérgica. Consulte inmediatamente al médico.

NO

SÍ

¿Lo ha picado una avispa, una abeja, una hormiga o algún otro insecto? ¿Comió algo raro hace una hora más o menos?

NO

SÍ

¿Surgió el problema repentinamente?

NO

¿Ha tenido anteriormente dolor en el pecho o algún problema cardíaco?

SÍ

Probablemente Ud. tiene insuficiencia cardíaca congestiva, con hinchazón en los tobillos. Consulte al médico.

NO

¿Tiene tos con esputos espesos?

NO

SÍ

Probablemente Ud. tiene bronquitis crónica. Consulte al médico.

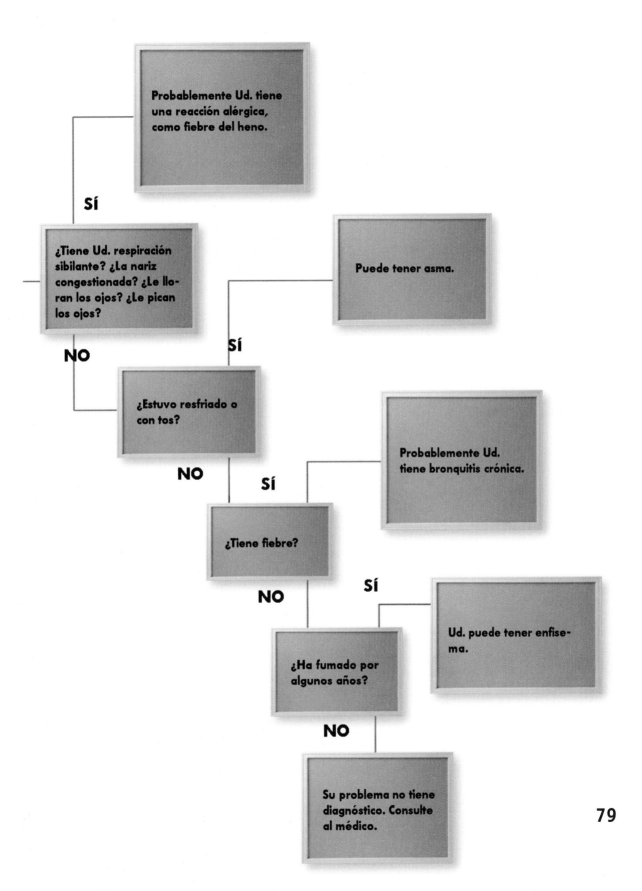

Probablemente Ud. tiene una reacción alérgica, como fiebre del heno.

SÍ

¿Tiene Ud. respiración sibilante? ¿La nariz congestionada? ¿Le lloran los ojos? ¿Le pican los ojos?

Puede tener asma.

NO

SÍ

¿Estuvo resfriado o con tos?

Probablemente Ud. tiene bronquitis crónica.

NO

SÍ

¿Tiene fiebre?

Ud. puede tener enfisema.

NO

SÍ

¿Ha fumado por algunos años?

NO

Su problema no tiene diagnóstico. Consulte al médico.

79

Dolor en el pecho

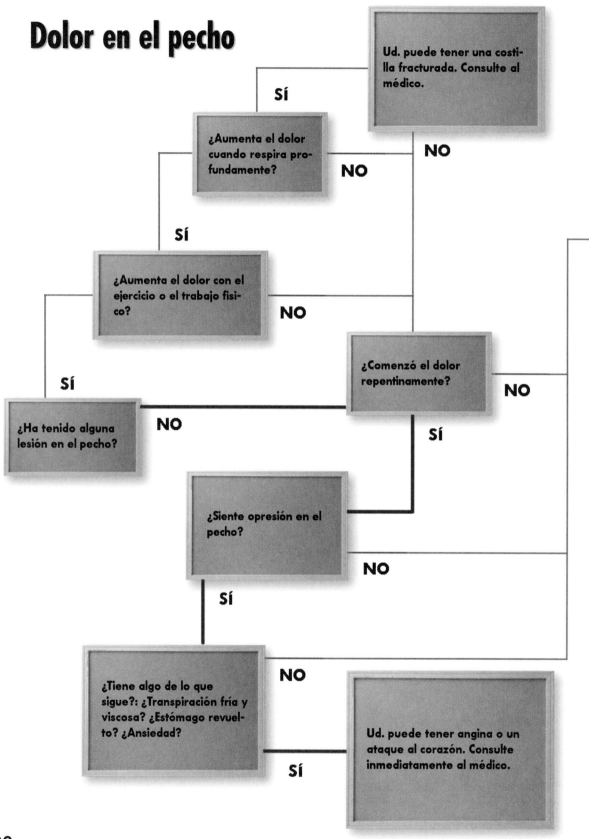

Ud. puede tener una costilla fracturada. Consulte al médico.

SÍ

¿Aumenta el dolor cuando respira profundamente?

NO

NO

SÍ

¿Aumenta el dolor con el ejercicio o el trabajo fisico?

NO

¿Comenzó el dolor repentinamente?

NO

SÍ

¿Ha tenido alguna lesión en el pecho?

NO

SÍ

¿Siente opresión en el pecho?

NO

SÍ

¿Tiene algo de lo que sigue?: ¿Transpiración fría y viscosa? ¿Estómago revuelto? ¿Ansiedad?

NO

Ud. puede tener angina o un ataque al corazón. Consulte inmediatamente al médico.

SÍ

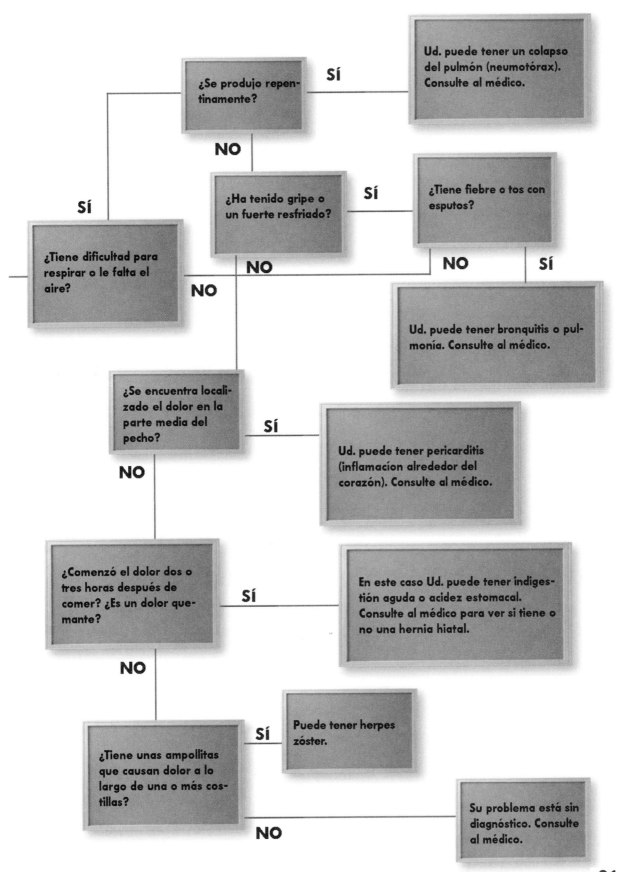

¿Se produjo repentinamente?

SÍ → Ud. puede tener un colapso del pulmón (neumotórax). Consulte al médico.

NO

¿Ha tenido gripe o un fuerte resfriado?

SÍ → ¿Tiene fiebre o tos con esputos?

SÍ

¿Tiene dificultad para respirar o le falta el aire?

NO

NO **SÍ** → Ud. puede tener bronquitis o pulmonía. Consulte al médico.

¿Se encuentra localizado el dolor en la parte media del pecho?

SÍ → Ud. puede tener pericarditis (inflamacíon alrededor del corazón). Consulte al médico.

NO

¿Comenzó el dolor dos o tres horas después de comer? ¿Es un dolor quemante?

SÍ → En este caso Ud. puede tener indigestión aguda o acidez estomacal. Consulte al médico para ver si tiene o no una hernia hiatal.

NO

¿Tiene unas ampollitas que causan dolor a lo largo de una o más costillas?

SÍ → Puede tener herpes zóster.

NO → Su problema está sin diagnóstico. Consulte al médico.

81

Tos

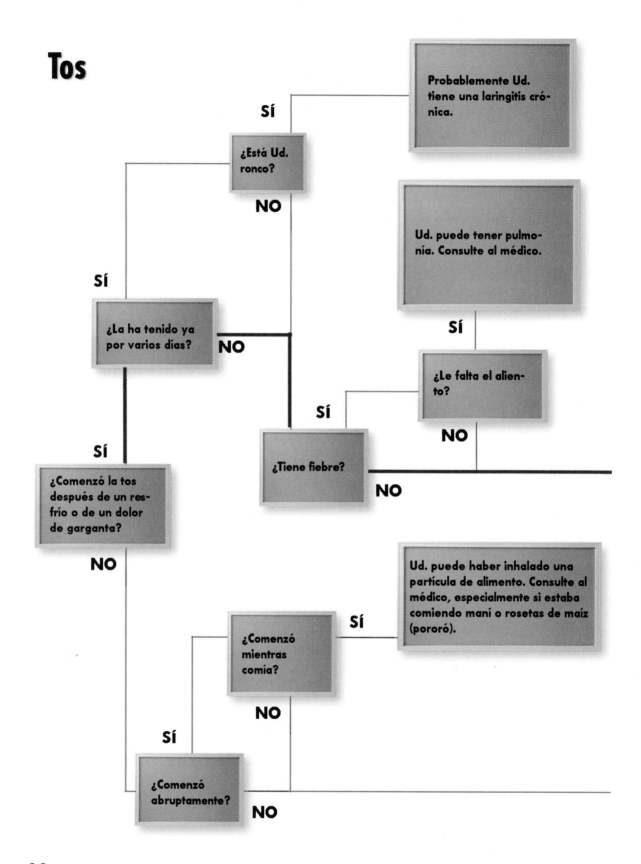

Probablemente Ud. tiene una laringitis crónica.

SÍ

¿Está Ud. ronco?

NO

Ud. puede tener pulmonía. Consulte al médico.

SÍ

¿Le falta el aliento?

SÍ

¿La ha tenido ya por varios días?

NO

NO

¿Tiene fiebre?

NO

SÍ

¿Comenzó la tos después de un resfrío o de un dolor de garganta?

NO

Ud. puede haber inhalado una partícula de alimento. Consulte al médico, especialmente si estaba comiendo maní o rosetas de maíz (pororó).

SÍ

¿Comenzó mientras comía?

NO

SÍ

¿Comenzó abruptamente?

NO

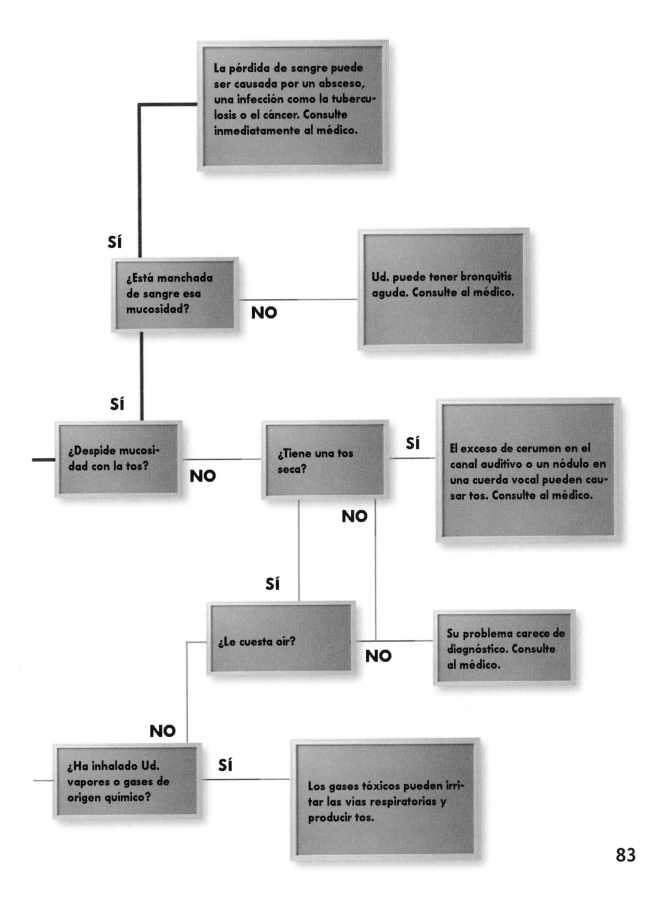

La pérdida de sangre puede ser causada por un absceso, una infección como la tuberculosis o el cáncer. Consulte inmediatamente al médico.

SÍ

¿Está manchada de sangre esa mucosidad?

Ud. puede tener bronquitis aguda. Consulte al médico.

NO

SÍ

¿Despide mucosidad con la tos?

NO

¿Tiene una tos seca?

SÍ

El exceso de cerumen en el canal auditivo o un nódulo en una cuerda vocal pueden causar tos. Consulte al médico.

NO

SÍ

¿Le cuesta oír?

NO

Su problema carece de diagnóstico. Consulte al médico.

NO

¿Ha inhalado Ud. vapores o gases de origen químico?

SÍ

Los gases tóxicos pueden irritar las vías respiratorias y producir tos.

83

Dolor de oído

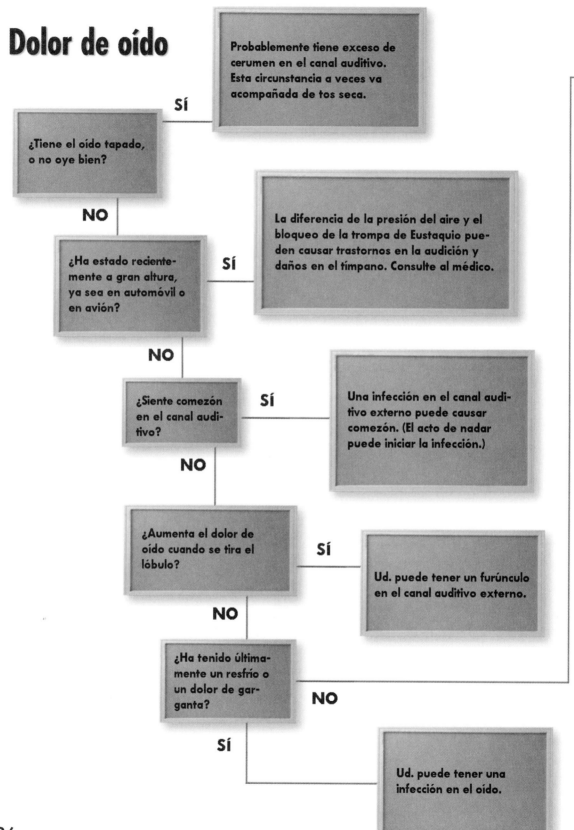

Probablemente tiene exceso de cerumen en el canal auditivo. Esta circunstancia a veces va acompañada de tos seca.

SÍ

¿Tiene el oído tapado, o no oye bien?

NO

La diferencia de la presión del aire y el bloqueo de la trompa de Eustaquio pueden causar trastornos en la audición y daños en el tímpano. Consulte al médico.

SÍ

¿Ha estado recientemente a gran altura, ya sea en automóvil o en avión?

NO

Una infección en el canal auditivo externo puede causar comezón. (El acto de nadar puede iniciar la infección.)

SÍ

¿Siente comezón en el canal auditivo?

NO

¿Aumenta el dolor de oído cuando se tira el lóbulo?

SÍ

Ud. puede tener un furúnculo en el canal auditivo externo.

NO

¿Ha tenido últimamente un resfrío o un dolor de garganta?

NO

SÍ

Ud. puede tener una infección en el oído.

84

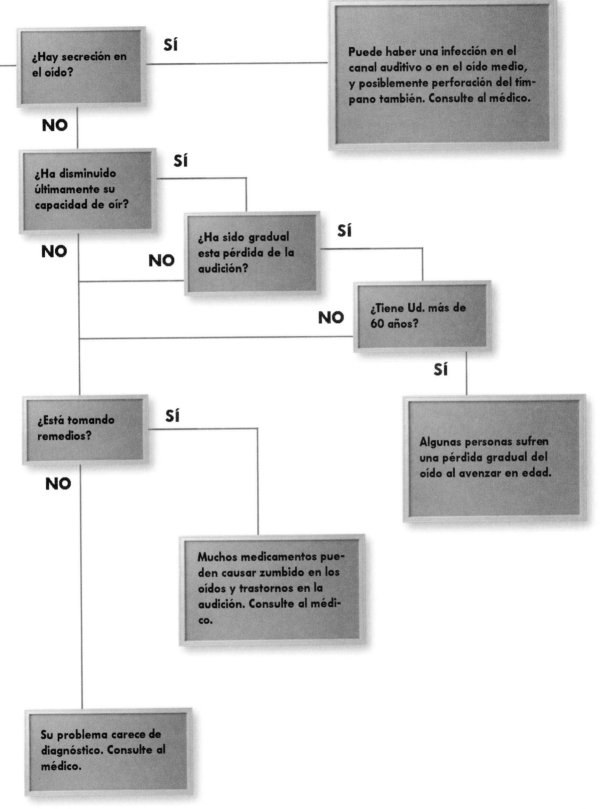

¿Hay secreción en el oído?

SÍ

Puede haber una infección en el canal auditivo o en el oído medio, y posiblemente perforación del tímpano también. Consulte al médico.

NO

¿Ha disminuido últimamente su capacidad de oír?

SÍ

NO

¿Ha sido gradual esta pérdida de la audición?

SÍ

NO

¿Tiene Ud. más de 60 años?

NO

SÍ

Algunas personas sufren una pérdida gradual del oído al avenzar en edad.

¿Está tomando remedios?

SÍ

NO

Muchos medicamentos pueden causar zumbido en los oídos y trastornos en la audición. Consulte al médico.

Su problema carece de diagnóstico. Consulte al médico.

85

Problemas en los ojos

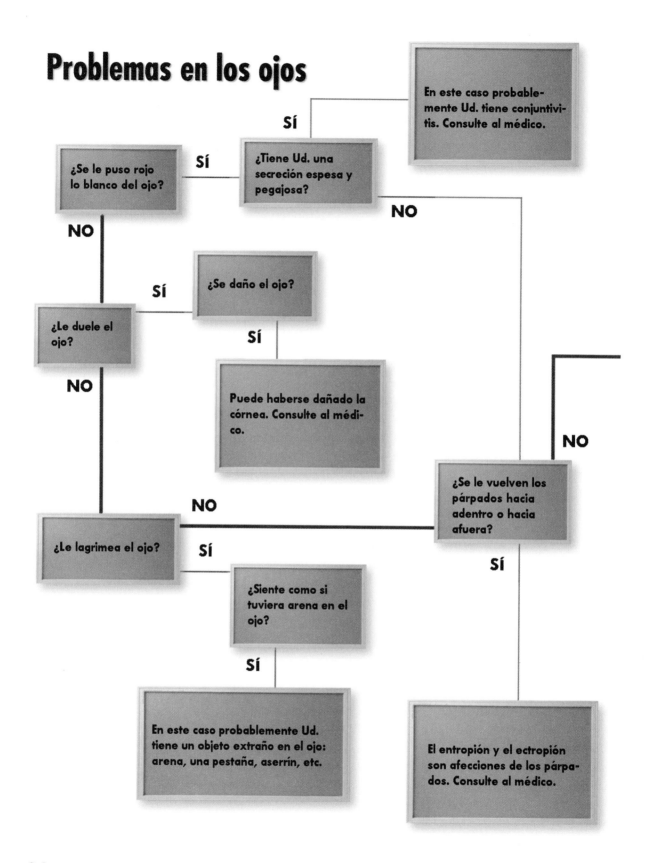

¿Se le puso rojo lo blanco del ojo?

SÍ → **¿Tiene Ud. una secreción espesa y pegajosa?**

SÍ → En este caso probablemente Ud. tiene conjuntivitis. Consulte al médico.

NO

¿Le duele el ojo?

SÍ → **¿Se daño el ojo?**

SÍ → Puede haberse dañado la córnea. Consulte al médico.

NO

¿Le lagrimea el ojo?

NO → **¿Se le vuelven los párpados hacia adentro o hacia afuera?**

NO

SÍ → **¿Siente como si tuviera arena en el ojo?**

SÍ → En este caso probablemente Ud. tiene un objeto extraño en el ojo: arena, una pestaña, aserrín, etc.

SÍ → El entropión y el ectropión son afecciones de los párpados. Consulte al médico.

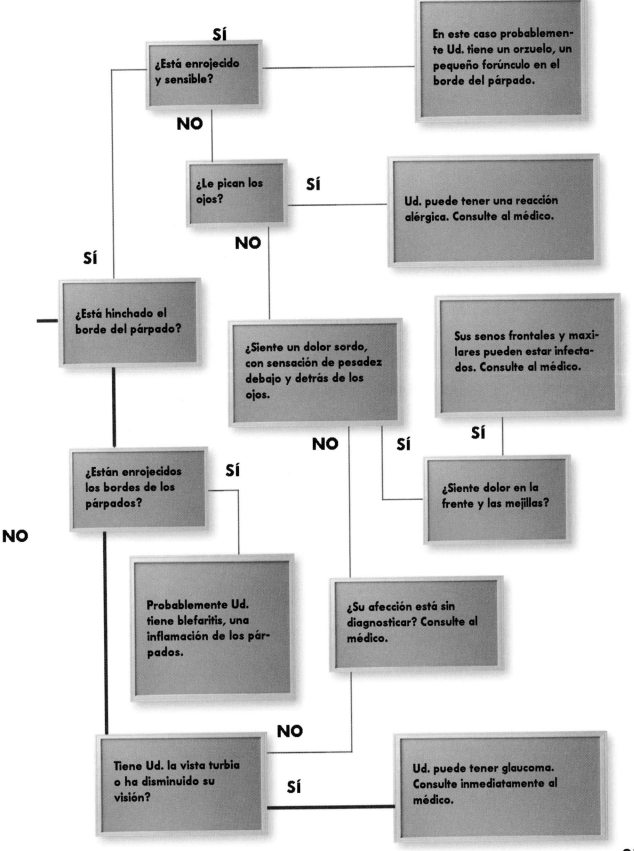

SÍ

¿Está enrojecido y sensible?

En este caso probablemente Ud. tiene un orzuelo, un pequeño forúnculo en el borde del párpado.

NO

¿Le pican los ojos?

SÍ

Ud. puede tener una reacción alérgica. Consulte al médico.

NO

SÍ

¿Está hinchado el borde del párpado?

¿Siente un dolor sordo, con sensación de pesadez debajo y detrás de los ojos.

Sus senos frontales y maxilares pueden estar infectados. Consulte al médico.

NO

¿Están enrojecidos los bordes de los párpados?

SÍ

NO **SÍ**

SÍ

¿Siente dolor en la frente y las mejillas?

Probablemente Ud. tiene blefaritis, una inflamación de los párpados.

¿Su afección está sin diagnosticar? Consulte al médico.

NO

Tiene Ud. la vista turbia o ha disminuido su visión?

SÍ

Ud. puede tener glaucoma. Consulte inmediatamente al médico.

Fiebre (adultos)

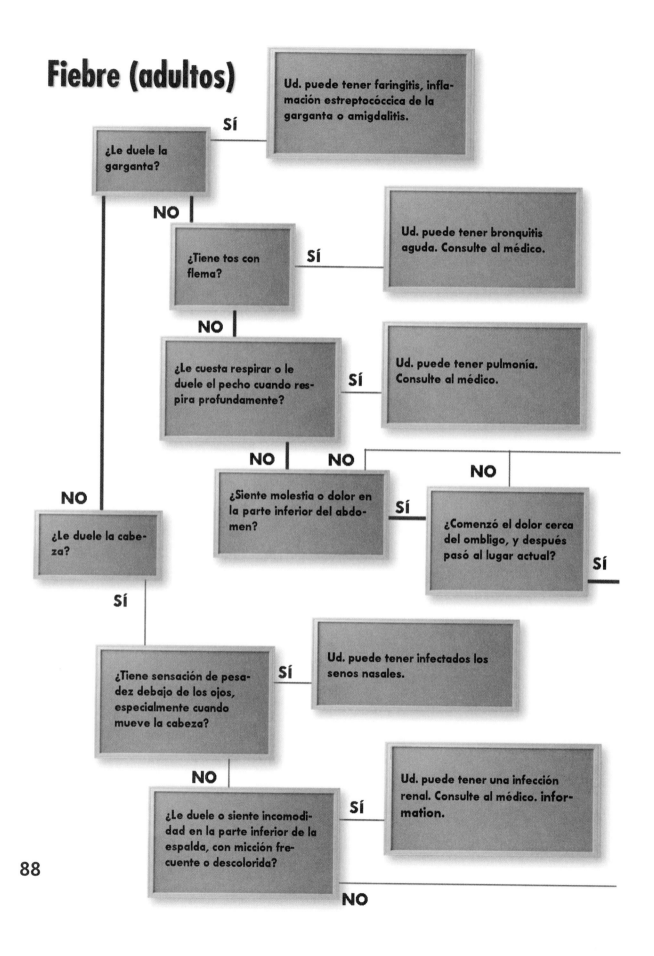

¿Le duele la garganta?

SÍ → Ud. puede tener faringitis, inflamación estreptocóccica de la garganta o amigdalitis.

NO

¿Tiene tos con flema?

SÍ → Ud. puede tener bronquitis aguda. Consulte al médico.

NO

¿Le cuesta respirar o le duele el pecho cuando respira profundamente?

SÍ → Ud. puede tener pulmonía. Consulte al médico.

NO

¿Siente molestia o dolor en la parte inferior del abdomen?

NO

SÍ → **¿Comenzó el dolor cerca del ombligo, y después pasó al lugar actual?**

NO

SÍ

NO

¿Le duele la cabeza?

SÍ

¿Tiene sensación de pesadez debajo de los ojos, especialmente cuando mueve la cabeza?

SÍ → Ud. puede tener infectados los senos nasales.

NO

¿Le duele o siente incomodidad en la parte inferior de la espalda, con micción frecuente o descolorida?

SÍ → Ud. puede tener una infección renal. Consulte al médico. information.

NO

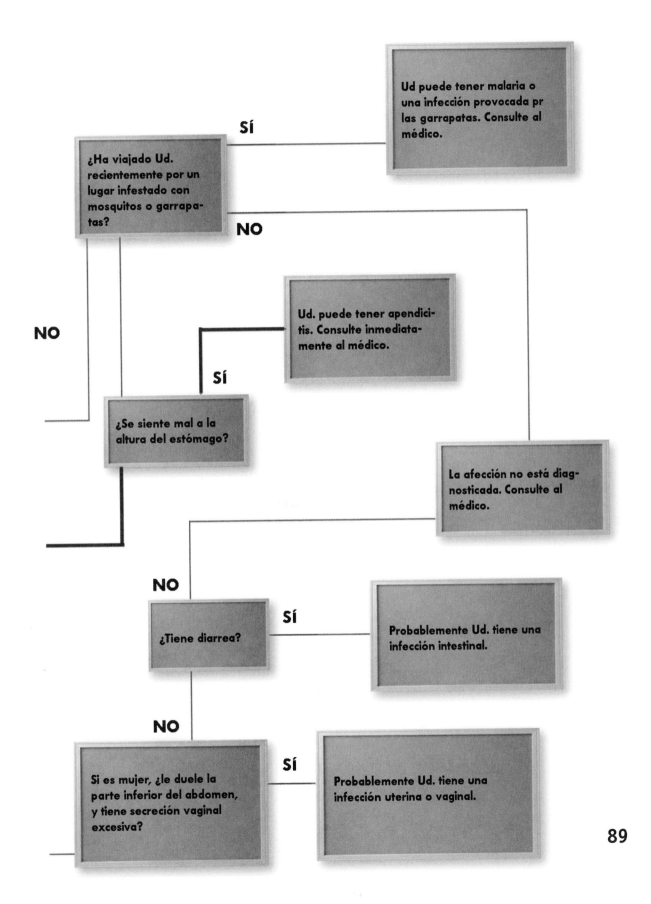

¿Ha viajado Ud. recientemente por un lugar infestado con mosquitos o garrapatas?

SÍ → Ud puede tener malaria o una infección provocada pr las garrapatas. Consulte al médico.

NO

¿Se siente mal a la altura del estómago?

SÍ → Ud. puede tener apendicitis. Consulte inmediatamente al médico.

La afección no está diagnosticada. Consulte al médico.

¿Tiene diarrea?

SÍ → Probablemente Ud. tiene una infección intestinal.

NO

Si es mujer, ¿le duele la parte inferior del abdomen, y tiene secreción vaginal excesiva?

SÍ → Probablemente Ud. tiene una infección uterina o vaginal.

89

Fiebre (bebé o niño)

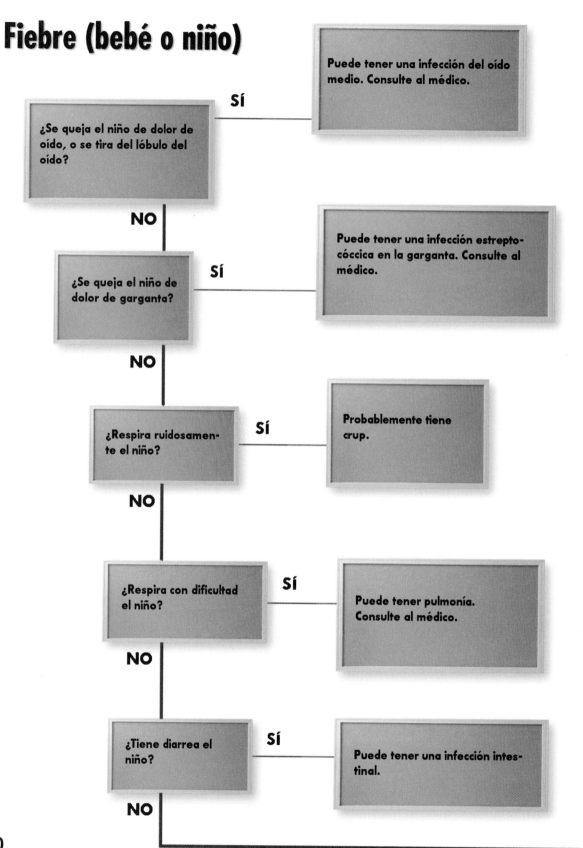

¿Se queja el niño de dolor de oído, o se tira del lóbulo del oído?

SÍ → Puede tener una infección del oído medio. Consulte al médico.

NO

¿Se queja el niño de dolor de garganta?

SÍ → Puede tener una infección estreptocóccica en la garganta. Consulte al médico.

NO

¿Respira ruidosamente el niño?

SÍ → Probablemente tiene crup.

NO

¿Respira con dificultad el niño?

SÍ → Puede tener pulmonía. Consulte al médico.

NO

¿Tiene diarrea el niño?

SÍ → Puede tener una infección intestinal.

NO

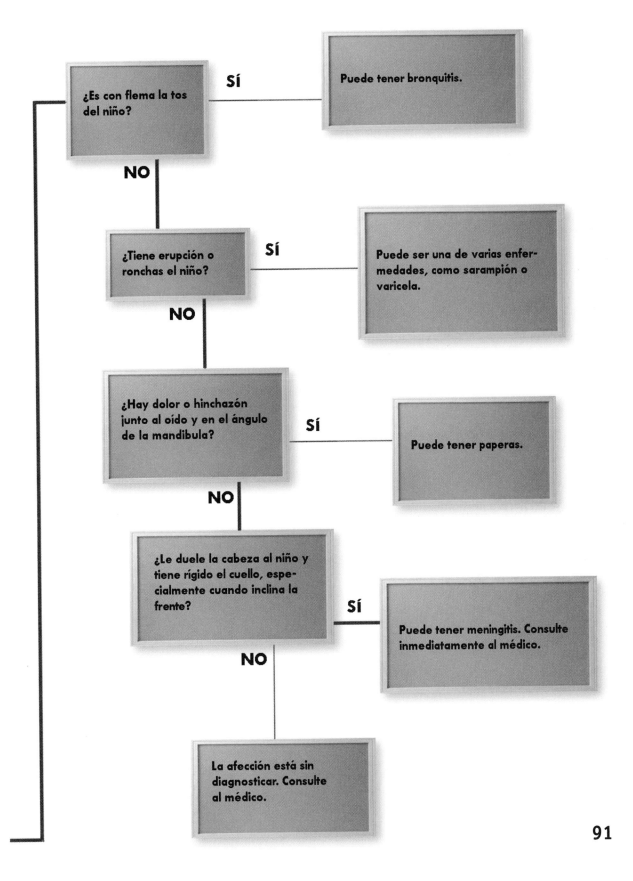

¿Es con flema la tos del niño?

SÍ → Puede tener bronquitis.

NO ↓

¿Tiene erupción o ronchas el niño?

SÍ → Puede ser una de varias enfermedades, como sarampión o varicela.

NO ↓

¿Hay dolor o hinchazón junto al oído y en el ángulo de la mandíbula?

SÍ → Puede tener paperas.

NO ↓

¿Le duele la cabeza al niño y tiene rígido el cuello, especialmente cuando inclina la frente?

SÍ → Puede tener meningitis. Consulte inmediatamente al médico.

NO ↓

La afección está sin diagnosticar. Consulte al médico.

Dolor de cabeza

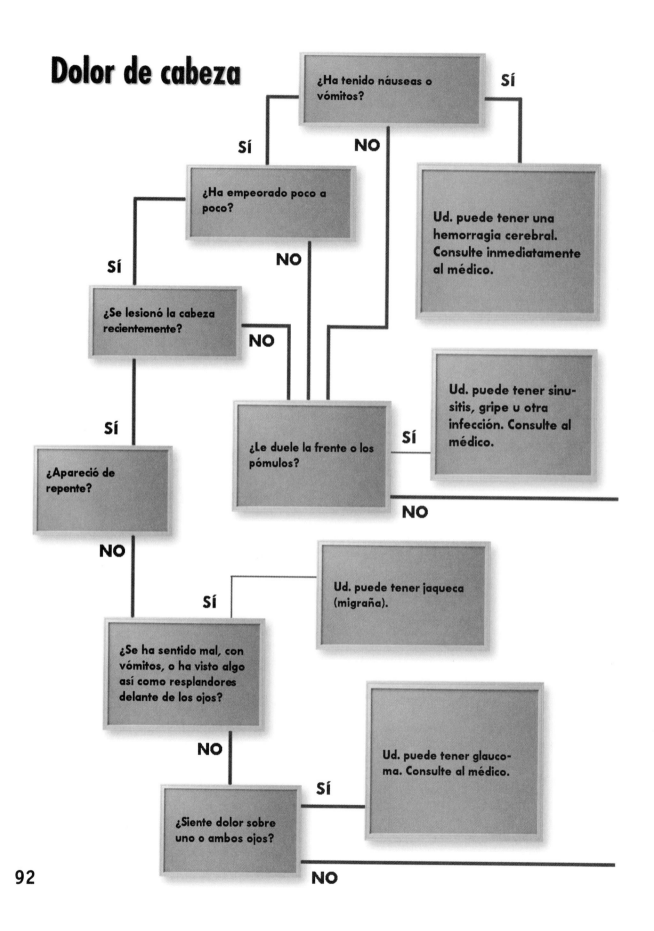

¿Ha tenido náuseas o vómitos?

SÍ → Ud. puede tener una hemorragia cerebral. Consulte inmediatamente al médico.

NO

¿Ha empeorado poco a poco?

SÍ

NO

¿Se lesionó la cabeza recientemente?

SÍ

NO

¿Apareció de repente?

SÍ

NO

¿Le duele la frente o los pómulos?

SÍ → Ud. puede tener sinusitis, gripe u otra infección. Consulte al médico.

NO

¿Se ha sentido mal, con vómitos, o ha visto algo así como resplandores delante de los ojos?

SÍ → Ud. puede tener jaqueca (migraña).

NO

¿Siente dolor sobre uno o ambos ojos?

SÍ → Ud. puede tener glaucoma. Consulte al médico.

NO

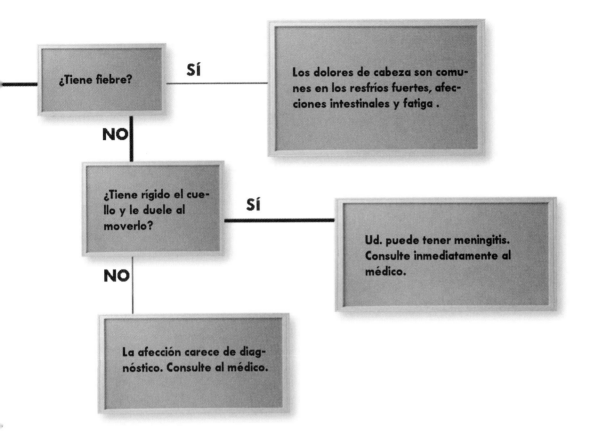

¿Tiene fiebre?

SÍ — Los dolores de cabeza son comunes en los resfríos fuertes, afecciones intestinales y fatiga .

NO

¿Tiene rígido el cuello y le duele al moverlo?

SÍ — Ud. puede tener meningitis. Consulte inmediatamente al médico.

NO

La afección carece de diagnóstico. Consulte al médico.

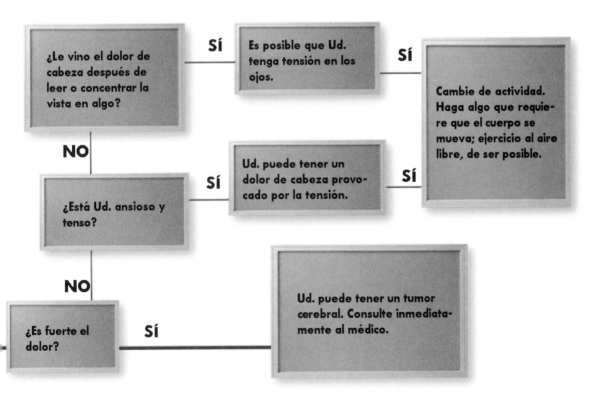

¿Le vino el dolor de cabeza después de leer o concentrar la vista en algo?

SÍ — Es posible que Ud. tenga tensión en los ojos.

SÍ — Cambie de actividad. Haga algo que requiere que el cuerpo se mueva; ejercicio al aire libre, de ser posible.

NO

¿Está Ud. ansioso y tenso?

SÍ — Ud. puede tener un dolor de cabeza provocado por la tensión.

SÍ

NO

¿Es fuerte el dolor?

SÍ — Ud. puede tener un tumor cerebral. Consulte inmediatamente al médico.

Prurito (picazón, escozor)

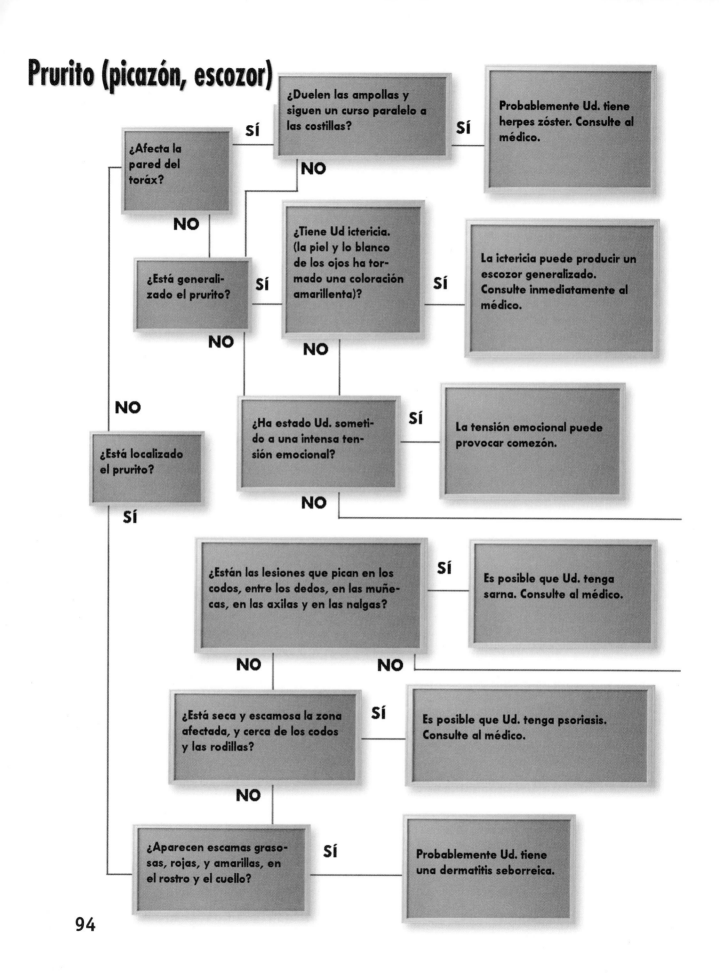

¿Afecta la pared del toráx?

SÍ → **¿Duelen las ampollas y siguen un curso paralelo a las costillas?**

SÍ → Probablemente Ud. tiene herpes zóster. Consulte al médico.

NO

NO → **¿Está generalizado el prurito?**

SÍ → **¿Tiene Ud ictericia. (la piel y lo blanco de los ojos ha tormado una coloración amarillenta)?**

SÍ → La ictericia puede producir un escozor generalizado. Consulte inmediatamente al médico.

NO

NO → **¿Ha estado Ud. sometido a una intensa tensión emocional?**

SÍ → La tensión emocional puede provocar comezón.

NO

NO

¿Está localizado el prurito?

SÍ

¿Están las lesiones que pican en los codos, entre los dedos, en las muñecas, en las axilas y en las nalgas?

SÍ → Es posible que Ud. tenga sarna. Consulte al médico.

NO   NO

¿Está seca y escamosa la zona afectada, y cerca de los codos y las rodillas?

SÍ → Es posible que Ud. tenga psoriasis. Consulte al médico.

NO

¿Aparecen escamas grasosas, rojas, y amarillas, en el rostro y el cuello?

SÍ → Probablemente Ud. tiene una dermatitis seborreica.

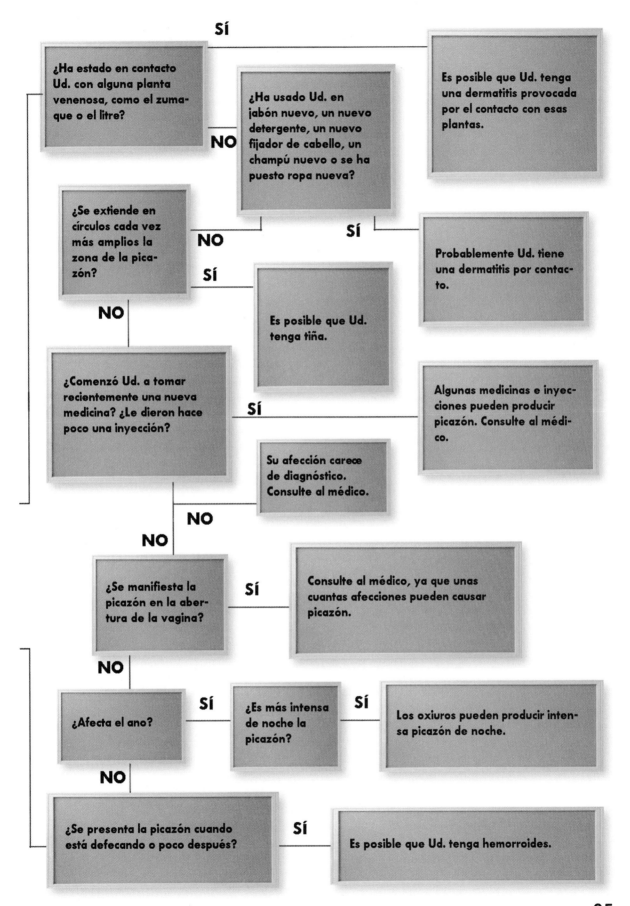

SÍ

¿Ha estado en contacto Ud. con alguna planta venenosa, como el zumaque o el litre?

¿Ha usado Ud. en jabón nuevo, un nuevo detergente, un nuevo fijador de cabello, un champú nuevo o se ha puesto ropa nueva?

NO

Es posible que Ud. tenga una dermatitis provocada por el contacto con esas plantas.

¿Se extiende en círculos cada vez más amplios la zona de la picazón?

NO

SÍ

SÍ

Probablemente Ud. tiene una dermatitis por contacto.

NO

Es posible que Ud. tenga tiña.

¿Comenzó Ud. a tomar recientemente una nueva medicina? ¿Le dieron hace poco una inyección?

SÍ

Algunas medicinas e inyecciones pueden producir picazón. Consulte al médico.

Su afección carece de diagnóstico. Consulte al médico.

NO

NO

¿Se manifiesta la picazón en la abertura de la vagina?

SÍ

Consulte al médico, ya que unas cuantas afecciones pueden causar picazón.

NO

¿Afecta el ano?

SÍ

¿Es más intensa de noche la picazón?

SÍ

Los oxiuros pueden producir intensa picazón de noche.

NO

¿Se presenta la picazón cuando está defecando o poco después?

SÍ

Es posible que Ud. tenga hemorroides.

Dolores en las articulaciones

¿Está relacionado con alguna lesión?

SÍ → Ud. puede haberse lesionado o luxado una articulación o ligamento.

NO

SÍ ¿Comenzó repentinamente?

NO

¿Ha hecho demasiado ejercicio últimamente?

SÍ → Si se trota o se corre excesivamente, especialmente en superficies duras, pueden producirse dolores y lesiones en las articulaciones. Suspenda el ejercicio vigoroso por unos cuantos días. Reanúdelo después gradualmente.

NO

NO ¿Se produjo gradualmente el dolor?

SÍ

NO ¿Hay hinchazón del dedo gordo del pie o la mano además del dolor?

SÍ → Es probable que Ud. tenga gota, especialmente si hay familiares que ya padecen este mal.

NO ¿Está el dolor acompañado de rigidez, especialmente en las mañanas, y luego desaparece gradualmente?

SÍ → Es posible que Ud. tenga artritis.

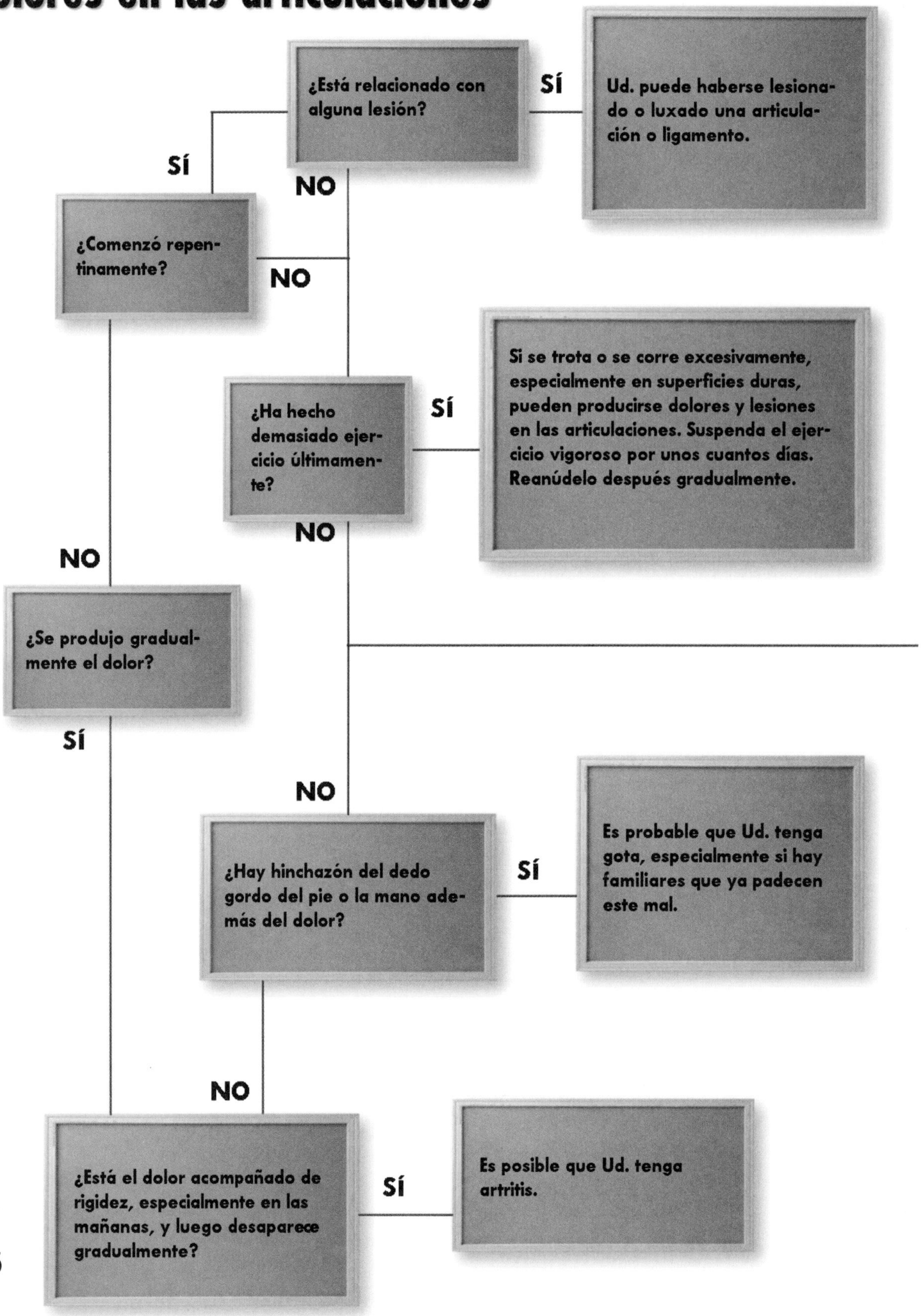

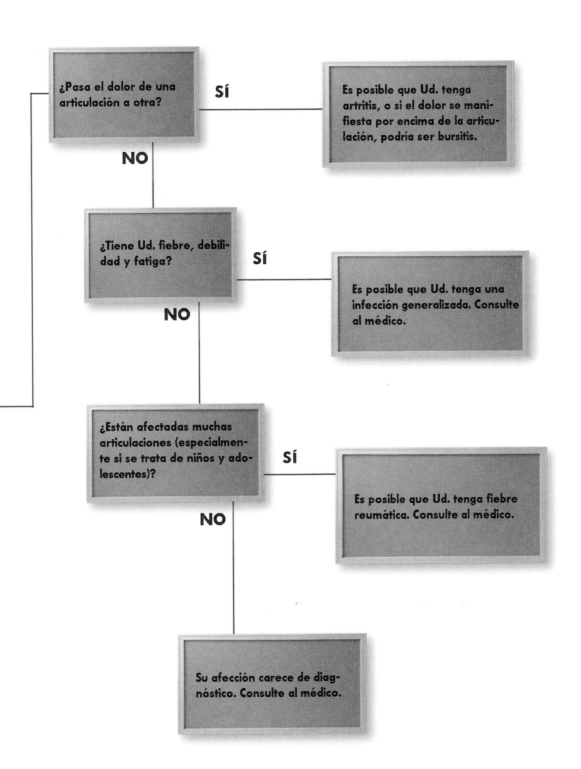

¿Pasa el dolor de una articulación a otra?

SÍ → Es posible que Ud. tenga artritis, o si el dolor se manifiesta por encima de la articulación, podría ser bursitis.

NO ↓

¿Tiene Ud. fiebre, debilidad y fatiga?

SÍ → Es posible que Ud. tenga una infección generalizada. Consulte al médico.

NO ↓

¿Están afectadas muchas articulaciones (especialmente si se trata de niños y adolescentes)?

SÍ → Es posible que Ud. tenga fiebre reumática. Consulte al médico.

NO ↓

Su afección carece de diagnóstico. Consulte al médico.

Dolores en el cuello

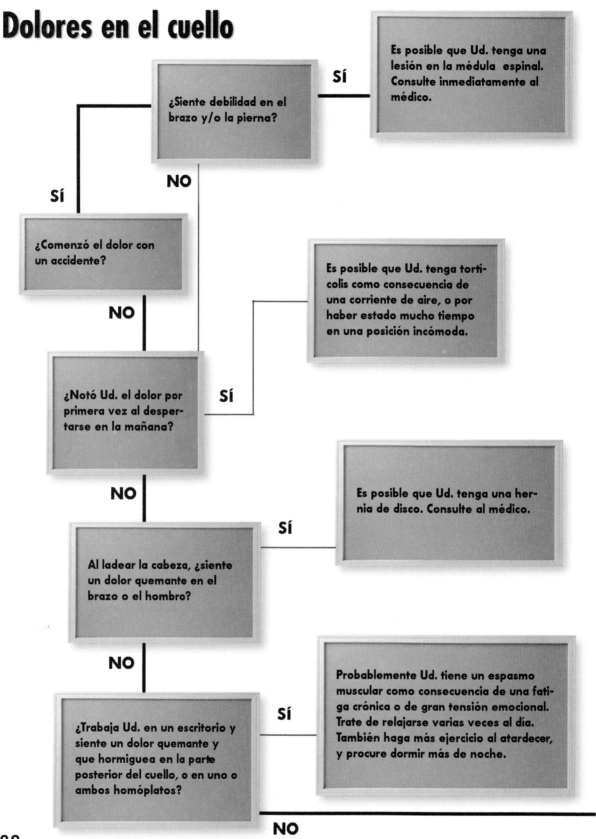

¿Siente debilidad en el brazo y/o la pierna?

SÍ → Es posible que Ud. tenga una lesión en la médula espinal. Consulte inmediatamente al médico.

SÍ ↓ **¿Comenzó el dolor con un accidente?**

NO ↓

¿Notó Ud. el dolor por primera vez al despertarse en la mañana?

SÍ → Es posible que Ud. tenga tortícolis como consecuencia de una corriente de aire, o por haber estado mucho tiempo en una posición incómoda.

NO ↓

Al ladear la cabeza, ¿siente un dolor quemante en el brazo o el hombro?

SÍ → Es posible que Ud. tenga una hernia de disco. Consulte al médico.

NO ↓

¿Trabaja Ud. en un escritorio y siente un dolor quemante y que hormiguea en la parte posterior del cuello, o en uno o ambos homóplatos?

SÍ → Probablemente Ud. tiene un espasmo muscular como consecuencia de una fatiga crónica o de gran tensión emocional. Trate de relajarse varias veces al día. También haga más ejercicio al atardecer, y procure dormir más de noche.

NO

98

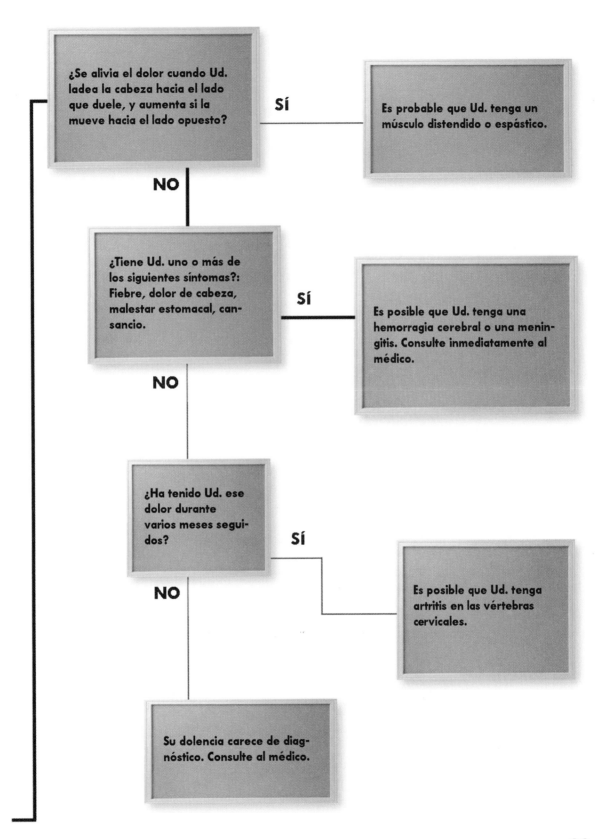

¿Se alivia el dolor cuando Ud. ladea la cabeza hacia el lado que duele, y aumenta si la mueve hacia el lado opuesto?

SÍ

Es probable que Ud. tenga un músculo distendido o espástico.

NO

¿Tiene Ud. uno o más de los siguientes síntomas?: Fiebre, dolor de cabeza, malestar estomacal, cansancio.

SÍ

Es posible que Ud. tenga una hemorragia cerebral o una meningitis. Consulte inmediatamente al médico.

NO

¿Ha tenido Ud. ese dolor durante varios meses seguidos?

SÍ

Es posible que Ud. tenga artritis en las vértebras cervicales.

NO

Su dolencia carece de diagnóstico. Consulte al médico.

Falta ocasional de menstruación

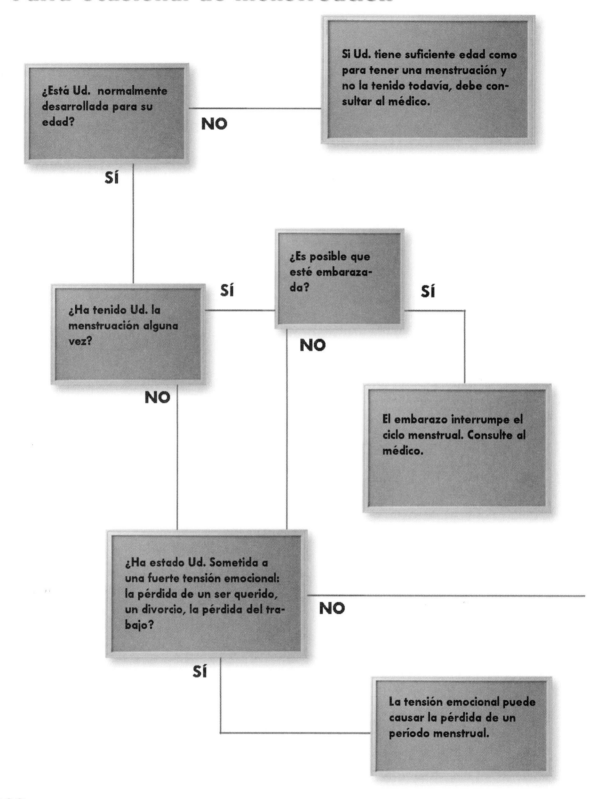

¿Está Ud. normalmente desarrollada para su edad?

NO

Si Ud. tiene suficiente edad como para tener una menstruación y no la tenido todavía, debe consultar al médico.

SÍ

¿Ha tenido Ud. la menstruación alguna vez?

SÍ

¿Es posible que esté embarazada?

SÍ

NO

El embarazo interrumpe el ciclo menstrual. Consulte al médico.

NO

¿Ha estado Ud. Sometida a una fuerte tensión emocional: la pérdida de un ser querido, un divorcio, la pérdida del trabajo?

NO

SÍ

La tensión emocional puede causar la pérdida de un período menstrual.

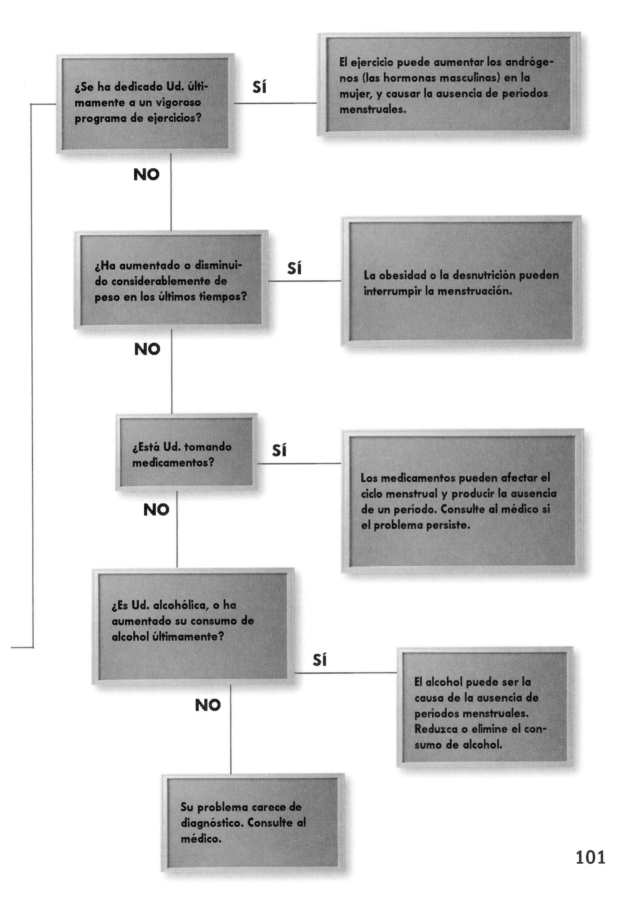

¿Se ha dedicado Ud. últimamente a un vigoroso programa de ejercicios?

SÍ → El ejercicio puede aumentar los andrógenos (las hormonas masculinas) en la mujer, y causar la ausencia de períodos menstruales.

NO ↓

¿Ha aumentado o disminuido considerablemente de peso en los últimos tiempos?

SÍ → La obesidad o la desnutrición pueden interrumpir la menstruación.

NO ↓

¿Está Ud. tomando medicamentos?

SÍ → Los medicamentos pueden afectar el ciclo menstrual y producir la ausencia de un período. Consulte al médico si el problema persiste.

NO ↓

¿Es Ud. alcohólica, o ha aumentado su consumo de alcohol últimamente?

SÍ → El alcohol puede ser la causa de la ausencia de períodos menstruales. Reduzca o elimine el consumo de alcohol.

NO ↓

Su problema carece de diagnóstico. Consulte al médico.

101

Dolor de garganta

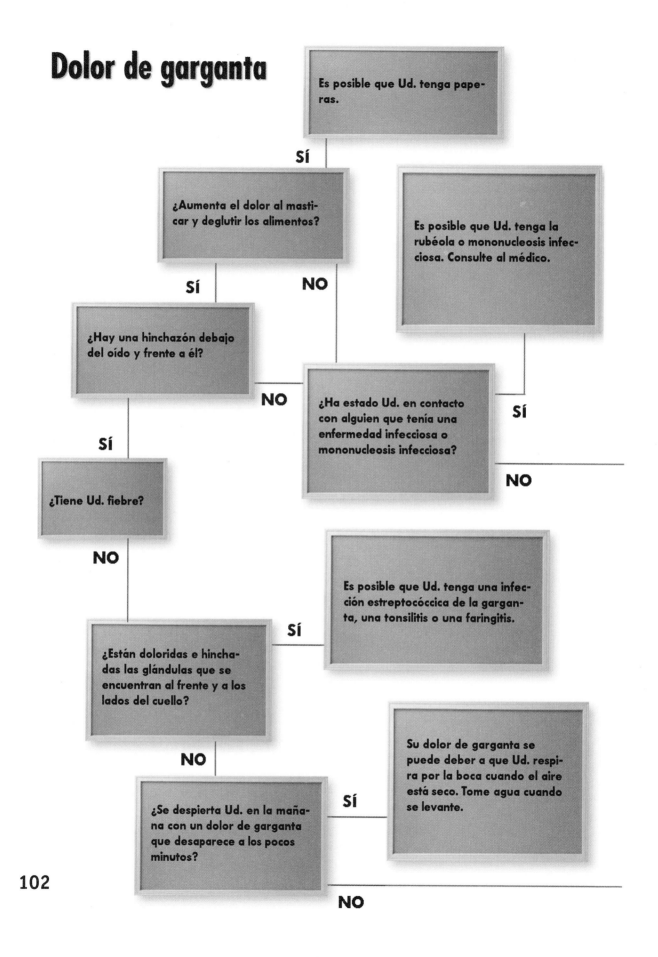

Es posible que Ud. tenga paperas.

SÍ

¿Aumenta el dolor al masticar y deglutir los alimentos?

Es posible que Ud. tenga la rubéola o mononucleosis infecciosa. Consulte al médico.

SÍ   **NO**

¿Hay una hinchazón debajo del oído y frente a él?

NO

¿Ha estado Ud. en contacto con alguien que tenía una enfermedad infecciosa o mononucleosis infecciosa?

SÍ

SÍ

NO

¿Tiene Ud. fiebre?

NO

Es posible que Ud. tenga una infección estreptocóccica de la garganta, una tonsilitis o una faringitis.

¿Están doloridas e hinchadas las glándulas que se encuentran al frente y a los lados del cuello?

SÍ

NO

Su dolor de garganta se puede deber a que Ud. respira por la boca cuando el aire está seco. Tome agua cuando se levante.

¿Se despierta Ud. en la mañana con un dolor de garganta que desaparece a los pocos minutos?

SÍ

NO

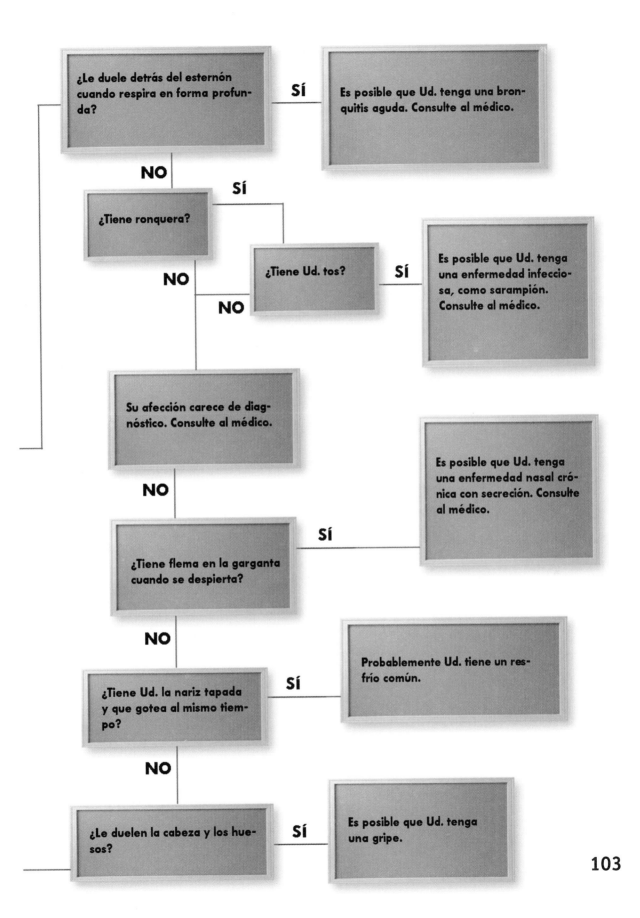

¿Le duele detrás del esternón cuando respira en forma profunda?

SÍ — Es posible que Ud. tenga una bronquitis aguda. Consulte al médico.

NO

¿Tiene ronquera?

SÍ

NO

¿Tiene Ud. tos?

SÍ — Es posible que Ud. tenga una enfermedad infecciosa, como sarampión. Consulte al médico.

NO

Su afección carece de diagnóstico. Consulte al médico.

Es posible que Ud. tenga una enfermedad nasal crónica con secreción. Consulte al médico.

NO

¿Tiene flema en la garganta cuando se despierta?

SÍ

NO

Probablemente Ud. tiene un resfrío común.

¿Tiene Ud. la nariz tapada y que gotea al mismo tiempo?

SÍ

NO

¿Le duelen la cabeza y los huesos?

SÍ — Es posible que Ud. tenga una gripe.

103

Sencillos tratamientos caseros

BOSQUEJO

- La aplicación de frío y calor (termoterapia)
- Procedimientos de hidroterapia
- Consideraciones importantes
- Aplicaciones de calor seco
- Baños de sol
- Relajación progresiva

E l cuerpo humano —su cuerpo— es indudablemente la "máquina" viviente más complicada y admirable que existe. Si no ha leído todavía las descripciones de los numerosos órganos y sistemas que constituyen su cuerpo, sería bueno que lo hiciera ahora mismo. También sería provechoso si leyera las partes de esta obra que se refieren a las sencillas medidas que se pueden tomar para conservar el eficiente funcionamiento de los órganos y sistemas de su cuerpo. La vida sana le permitirá mantener al máximo su rendimiento por el período más largo posible, y al mismo tiempo postergará el comienzo de las enfermedades y de las debilidades propias de la ancianidad.

Pero cada persona tiene antecedentes distintos y ha heredado una constitución física diferente. También cada uno de nosotros ha practicado distintos estilos de vida: en algunos casos se ha reducido al mínimo el desgaste del cuerpo, en otros se han descuidado los principios relativos a la conservación de la salud. A todos se nos ha dado un cuerpo que nos debe durar toda la vida, y aunque nos duela decirlo, no es posible conseguir otro. Hay un solo cuerpo para cada persona.

Pero tarde o temprano, y a veces más temprano que tarde, las cosas empiezan a andar mal. Los órganos se gastan, aparecen defectos heredados, los malos hábitos cobran su cuenta, nuestra resistencia disminuye y nos enfermamos ¿Qué podemos hacer entonces? ¿Llamar al médico? ¿Correr al hospital? La respuesta es sí y no.

Sería ridículo y hasta imposible llamar al médico por cada dolorcito que se siente. La gente razonable emplea remedios sencillos para aliviar y curar los problemas menores de salud. En realidad, los médicos favorecen esta costumbre. Pero ocurre que la gente, en general, no está más capacitada para determinar qué le pasa, que para decidir qué tiene su computadora. Pero así como hay métodos simples que Ud. puede emplear para arreglar su computadora, también existen procedimientos sencillos para resolver los problemas relacionados con la salud.

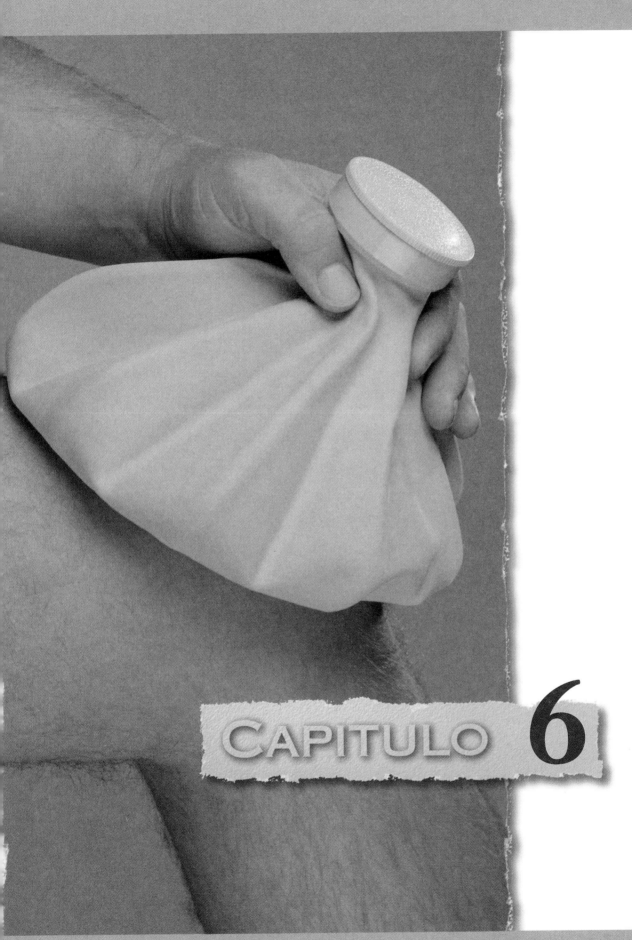

CAPÍTULO **6**

Sería ridículo, si no imposible, que usted tenga que llamar a un médico para cada dolor o achaque leve.

Lo difícil es saber cuándo puede uno tratar sus propios males y cuándo debe llamar al médico. A continuación presentamos algunas sugerencias que pueden resultar útiles.

Cuándo llamar al médico

Ud. siempre debería consultar al médico, y no aplicar tratamientos caseros, en los siguientes casos:

- Cuando los síntomas son graves
- Cuando los síntomas persisten
- Cuando se repiten con frecuencia
- Cuando Ud. se pregunta qué puede ser
- Cuando Ud. tiene dudas acerca de lo que está haciendo.

Lamentablemente, los botiquines de los hogares están atiborrados de medicamentos para el dolor de cabeza, la acidez estomacal, el insomnio, etc., que los miembros de la familia usan en forma indiscriminada. La propaganda comercial difundida por la radio, la televisión, la prensa y la misma farmacia, fomenta la automedicación. La gente está demasiado dispuesta a tomar medicinas para aliviar los síntomas desagradables, con lo que le causan un daño permanente al organismo.

Por otra parte, hay al alcance de todos, procedimientos y remedios sencillos que no dejan secuelas. Estos remedios consisten en el uso del agua, la luz, el ejercicio y el reposo. Sus resultados dependen de la reacción natural del cuerpo al ambiente, y a su propia actividad. Si bien es cierto que el uso de estos tratamientos se debe limitar a dolencias menores, con frecuencia producen buenos resultados en muy poco tiempo y con muy poco gasto, y sin las secuelas perjudiciales de las drogas y los medicamentos. Recuerde, sin embargo, que cualquier tratamiento importante sugerido en esta obra, debe ser aplicado con la aprobación de su médico.

Los lectores que desean ser expertos en el uso de los sencillos tratamientos hogareños descritos en este capítulo, deberían tomar un curso al respecto, o por lo menos leer un libro acerca de ellos. Recomendamos especialmente la obra *Simple Remedies for the Home* (Remedios sencillos para el hogar), en inglés, por Clarence Dail y Charles Thomas. Pueden pedirla a: Preventive Health Care and Education Center, 4027 W. George Street, Banning, California 92220, Estados

Unidos. Los autores de este libro nos hemos apoyado bastante en la obra de estos escritores al preparar este capítulo.

La aplicación de frío y calor (termoterapia)

La piel y las mucosas recubren los tejidos y órganos que constituyen nuestros cuerpos. Pero sus funciones no se limitan a cubrir. La piel y las mucosas están provistas de detectores de calor, frío, tacto, presión y dolor. La piel desempeña también un papel importante en el control de la temperatura del cuerpo.

Con pocas excepciones, la aplicación de calor y frío, como tratamiento médico, se hace sobre la piel. Como el calor y el frío pasan por medio de ella (o de las mucosas) al resto del cuerpo, se altera la temperatura de los órganos subyacentes, y finalmente también la del cuerpo en general.

El organismo está diseñado para conservar el equilibrio entre sus diversos sistemas. Es decir, resiste los cambios de temperatura o los que afectan a cualquiera de sus múltiples funciones. Esta resistencia al cambio se llama *homeostasis*. Pero se pueden estimular cambios químicos y fisiológicos mediante la aplicación de frío y calor, y con frecuencia, puesto que el frío y el calor penetran en los tejidos, tienen efectos curativos. Además, por medio de las conexiones de los nervios, las reacciones al calor y al frío que se producen en la piel pueden afectar en forma refleja a los órganos situados en el interior del cuerpo, e iniciar así reacciones que favorecen la recuperación.

Fuentes de calor y frío

El calor y el frío se pueden aplicar al cuerpo de múltiples maneras. Las fuentes más comunes son el agua (caliente o fría), la lámpara de rayos infrarrojos, la luz solar, y cosas tan sencillas como la almohadilla calentadora y la bolsa de agua caliente. El calor y el frío entran y salen del cuerpo por irradiación, conducción, convección, evaporación y fricción. La aplicación de calor y frío puede ser húmeda, como en el caso de los baños calientes de pies (pediluvios), duchas calientes, inhalaciones de vapor (nebulizaciones), fricciones con alcohol, o duchas frías; o puede ser seca, como en el caso de las lámparas térmicas, los gabinetes con bombitas eléctricas, los rayos solares o las compresas de hielo.

Los efectos del calor y el frío

La aplicación de calor y frío influye sobre la circulación de la sangre. También produce ciertas reacciones químicas en la sangre y en los tejidos afectados.

El calor dilata los vasos sanguíne-

Cuando se alternan el calor y el frío generalmente aumenta la circulación local.

os y aumenta la circulación, tanto en la zona donde se lo aplica como en el cuerpo en general. También aumenta la congestión (acumulación) de la sangre cerca de la piel, y la disminuye en el interior del cuerpo. Acelera la coagulación y aumenta la actividad de los glóbulos blancos (fagocitosis). Aumenta la temperatura de los tejidos locales y del resto del cuerpo, y aumenta la hinchazón en la zona de aplicación al atraer sangre y fluidos a ese lugar. Finalmente, aumenta la actividad glandular y la relajación muscular, y estimula la actividad química y fisiológica del cuerpo.

En gran medida, los efectos del **frío** son lo opuesto a los del calor. Los vasos sanguíneos se contraen, la circulación local y general disminuye, y aumenta la congestión en el interior del cuerpo. La coagulación se prolonga y disminuye la actividad de los glóbulos blancos. Todo el cuerpo se enfría, disminuye la hinchazón, los músculos se contraen y también disminuye la actividad química y fisiológica.

Cuando se alternan el calor y el frío generalmente aumenta la circulación local y la actividad de los glóbulos blancos, y probablemente se acelera la coagulación, la contracción de los vasos sanguíneos y aumenta la actividad muscular.

Al comprender los efectos del calor y el frío podemos aplicarlos específicamente para colaborar con la recuperación del organismo. Por ejemplo, inmediatamente después que alguien se torció un tobillo, la aplicación de frío disminuye el flujo de sangre y otros fluidos hacia la parte lesionada, lo que a su vez disminuye la hinchazón.

Respirar aire caliente por medio de un inhalador de vapor (nebulización), contribuye a aliviar la irritación de la garganta y afloja las secreciones de la tráquea y los bronquios. Suaviza las membranas inflamadas y, de un modo interesante, primero provoca tos y luego la alivia.

La mayor parte de estos efectos se debe a la acción directa ya sea de la aplicación de calor o frío en los tejidos. Pero, como ya lo dijimos, el cuerpo resiste los cambios que tienden a alterar su equilibrio normal (*homeostasis*). Trata de impedir los cambios mediante reacciones contrarias a ellos. Por ejemplo, la transpiración es una de sus reacciones más comunes al calor: es el esfuerzo que hace para mantenerse fresco. Por otra parte, los escalofríos son una reacción típica contra el frío: es el esfuerzo del cuerpo para conservar el calor. La reacción del cuerpo al calor puede producir un efecto sedante, como ocurre con un baño caliente; la reacción al frío puede ser tonificante, como sucede con una breve ducha. Se logra el efecto deseado cuando se aplican el calor y el frío en forma adecuada. Por eso es importante que los tratamientos con calor y frío se den en forma correcta y con conocimiento de causa.

Procedimientos de hidroterapia

Pediluvio (baño caliente de pies)

El pediluvio es uno de los tratamientos hidroterápicos más útiles. Es fácil de aplicar y produce varios efectos benéficos. El flujo de sangre aumenta localmente, y si se prolonga, aumenta la temperatura en general, y también aumenta la circulación en lugares distantes del cuerpo. Disminuye la congestión en los órganos pélvicos, el tórax y la cabeza.

Beneficios. Diversas dolencias se superan gracias al pediluvio: los resfríos, el dolor de garganta, la tos y la bronquitis. También se pueden aliviar los calambres de los órganos pelvicos y el dolor de cabeza. Produce una relajación muscular generalizada. Es muy eficaz en caso de hemorragia nasal.

Contraindicaciones. No le aplique calor a los pies o a las piernas de ningún enfermo cuya circulación sea deficiente, como es el caso de los que sufren de diabetes, ateroesclerosis de las piernas y enfermedades de los vasos sanguíneos periféricos.

Tampoco se lo debe aplicar a los pies o las piernas cuando hay hinchazón aguda provocada por una torcedura o artritis, pérdida de la sensibilidad o cuando el paciente está inconsciente.

Procedimiento. Use un recipiente de plástico o metal lo suficientemente grande como para acomodar los pies y permitir que el agua cubra los tobillos. La temperatura del agua debería oscilar entre 40° y 44°C. Comience el tratamiento con una temperatura más baja y añada poco a poco agua más caliente, para aumentar gradualmente la temperatura de acuerdo con la tolerancia del paciente El tratamiento debería durar de 10 a 15 minutos. Anime al paciente a beber agua fría o tibia. Ponga su mano entre el agua caliente y los pies del paciente cada vez que eche más agua.

Se puede dar el tratamiento cuando el paciente está acostado (en ese caso proteja la ropa de cama con un plástico) o mientras se encuentra sentado en una silla. Los niños pequeños pueden poner los pies en la pileta

Hay que calcular la temperatura del agua que se va a usar en un tratamiento con un termómetro y no sólo con la mano.

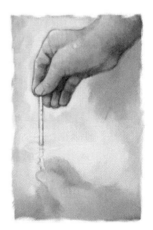

Consideraciones importantes

Las palabras calor y frío son términos comparativos, y por eso hay que definirlos. Lamentablemente no es posible hacerlo con exactitud, porque difiere la tolerancia de cada individuo a ellos. La sensación de temperatura producida por el agua varía según cuál sea la condición de la piel de la persona, su temperatura anterior, el vigor de la circulación de la sangre y hasta la época del año. Por lo tanto, hay que calcular con el termometro la temperatura del agua que se va a usar en un tratamiento, y no sólo con la mano.

Al aplicar frío y calor, hay que tener mucho cuidado de no dañar la piel y los tejidos subyacentes. Los pacientes no deben ni enfriarse ni recalentarse. Tampoco, y mucho menos, se tienen que quemar.

Hay que considerar cuidadosamente el efecto que tendrá un tratamiento sobre el paciente. Tomemos, por ejemplo, el caso de un diabético con ateroesclerosis a quien Ud. le quiere dar un pediluvio (baño de pies caliente). La aplicación de calor localmente aumenta el consumo de oxígeno en los tejidos, y por lo mismo se necesita más sangre.

El hecho de que el paciente padece de ateroesclerosis puede significar que la circulación en los pies es deficiente, lo que limitaría la cantidad de sangre que se podría atraer allí si se aplicara calor. Si se le da un pediluvio podría aumentar la demanda de oxígeno y sangre. Puesto que no hay seguridad de poder proveer sangre en cantidad suficiente, puede suceder que se dañen los tejidos, y hasta podría precipitarse una gangrena.

Los tratamientos que se describen en las páginas siguientes usan agua y otros medios sencillos. Tome nota de los diferentes usos y precauciones (contraindicaciones: cuándo no aplicar un procedimiento), y siga cuidadosamente las instrucciones.

de lavar platos o en el bidet. Mantenga abrigada la parte superior del cuerpo con una frazada o una toalla de baño. Aplique una compresa fría a la cabeza del paciente, y reemplácela cada dos o tres minutos. Cuando el tratamiento haya terminado, saque los pies del agua, vierta agua fría sobre ellos y séquelos bien. Si el paciente estuviera transpirando, séquelo con una toalla y aplíquele una fricción con alcohol. Deje que descanse por 20 minutos levemente tapado antes que se levante.

Baños de inmersión alternados, calientes y fríos (para el brazo, la mano, el pie o la piema)

En este tratamiento una parte del cuerpo del paciente se sumerge alternadamente en agua caliente y fría. Esto aumenta la circulación primero al dilatar los vasos sanguíneos, y luego al contraerlos. Se reduce la hinchazón y aumenta la fagocitosis (la destrucción por parte de los glóbulos blancos de los microorganismos invasores).

Beneficios. Son similares a los del pediluvio, pero además son muy eficaces para reducir la hinchazón de tobillos o muñecas torcidos, 24 horas después de haber ocurrido el accidente. (Al comienzo debe aplicarse una compresa fría o un pediluvio frío si se trata de un pie). También es recomendable para infecciones de las extremidades.

Contraindicaciones. Las mismas que para un pediluvio, pero no tan estrictas.

Procedimiento. Consiga dos reci-

pientes de plástico o metal lo suficientemente grandes como para sumergir un pie y la pierna o una mano y el brazo. Llene uno con agua caliente y el otro con agua fría o helada. Ponga por tres minutos el pie y la pierna del paciente en el agua caliente (tan caliente como la pueda tolerar sin que llegue a quemarse). Luego sumérjalos en el agua fría por 30 segundos. Mientras el miembro se encuentra en el agua fría, vierta más agua caliente en el recipiente que la contiene para mantener o elevar la temperatura, teniendo cuidado de no calentarla demasiado para que no se queme el paciente. Esto se debe repetir cuatro o cinco veces durante todo el tratamiento. Es bueno tener a mano una toalla para secar la extremidad tratada, que no conviene que se enfríe. Con frecuencia el calor se propaga a todo el cuerpo y el paciente empieza a transpirar. Si eso sucediera, aplique una compresa fría a la frente durante el tratamiento. Cuando termine, el paciente se puede dar una ducha caliente y después secarse, y si está en cama, habría que secarlo y darle después una rápida fricción con alcohol.

Fomentos (compresas húmedas y calientes)

Un fomento consiste en la aplicación de calor húmedo en una zona de la piel por medio de un paño empapado en agua caliente. Esta súbita aplicación de calor localizado aumenta el flujo de sangre en la superficie, alivia la congestión interna, aumenta la presencia de los glóbulos blancos, alivia los

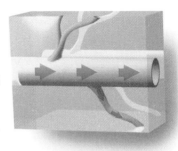

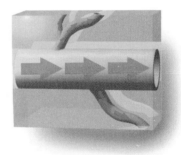

La aplicación del frío causa la disminución del flujo de sangre y otros fluidos en el área, lo que ayuda a prevenir la hinchazón. La aplicación de calor tendrá el efecto opuesto.

Baño caliente y frío de piernas y pies.

espasmos musculares y ciertos dolores, provoca la transpiración y produce una relajación generalizada

Beneficios. Los fomentos suelen ser útiles en caso de resfríos, tos, bronquitis e influenza (gripe). También proporcionan alivio cuando hay dolores neurálgicos y los que producen ciertas clases de artritis. Si se los aplica a la columna (calientes, no fríos), sirven como sedantes y ayudan a combatir el insomnio.

Contraindicaciones. No aplique fomentos en los miembros de personas con desórdenes vasculares periféricos ni a los diabéticos. Tampoco se debe aplicar a una persona que está inconsciente o paralizada. Si se los aplica a un paciente que ha padecido

recientemente de un ataque al corazón, consulte primero a su médico, y si él da su autorización, ponga una bolsa de hielo a la altura del corazón.

Procedimiento. El mejor material para los fomentos es el que proviene de una frazada hecha con un 50 por ciento de lana para retener el calor y un 50 por ciento de algodón para retener el agua. También se puede usar una toalla turca gruesa o tela de toalla. Conviene preparar seis fomentos con trozos de material de 75 x 90 cm, en tres dobleces a lo ancho, que luego se cosen de modo que el fomento terminado mida 30 x 75 cm. Provéase, además, de 8 a 10 toallas livianas de tamaño mediano, dos toallas grandes de baño, cuatro paños para lavar y una fuente con agua helada

Los fomentos se pueden calentar en una de estas tres formas: (1) Doble el fomento a lo largo en tres partes y forme un rollo suelto. Tomándolo por ambos extremos, sumerja la porción central en una olla con agua hirviendo. Luego estire los extremos mientras los retuerce para escurrir el agua. (2) Humedezca los fomentos y póngalos en una olla de presión (sin agua) hasta que se calienten. (3) Ponga los fomentos humedecidos en un horno de microondas hasta que se calienten. Este es el método más conveniente.

Cuando el fomento esté estrujado o se lo haya sacado de la olla de presión o del horno de microondas, envuélvalo en una toalla delgada, déle un doblez y enróllelo para conservar el calor. Puede preparar tres de estos fomentos en rápida sucesión.

Antes de comenzar el tratamiento asegúrese de que el cuarto está bien temperado. Es muy importante que el paciente no se enfríe en ningún momento. Pídale que se desvista y se acueste. Coloque toallas de baño grandes debajo y encima del paciente, y luego cúbralo con una frazada. Ponga una toalla delgada sobre el lugar donde quiere aplicar el fomento, el pecho, por ejemplo. Coloque el fomento sobre la toalla que cubre el pecho. Momentos después levante un costado del fomento y después el otro, y seque el pecho con una toallita a fin de evitar quemaduras. Si el fomento está demasiado caliente, ponga una toalla adicional entre la compresa y el paciente. Coloque más protección, si es necesario, sobre las prominencias óseas o los pezones, para que no se quemen.

Tan pronto como el paciente se encuentre razonablemente cómodo, coloque el segundo fomento debajo de él, a lo largo de la columna vertebral. A continuación envuelva uno alrededor de los pies, a menos que esté contraindicado, y envuélvalo en una toalla. Este procedimiento puede reemplazar un pediluvio.

Prepare fomentos adicionales para reemplazar el del pecho. Esto se debe hacer con intervalos de tres a cinco minutos, hasta completar tres. Los fomentos deben ser tolerables, pero no necesariamente cómodos. Antes de remplazarlo, seque rápidamente la piel caliente. (Al eliminar la humedad de la piel, resulta más fácil soportar el calor del siguiente fomen-

to). Hay que colocar una nueva toalla delgada y seca sobre la piel cada vez que se aplica un nuevo fomento. Los que se aplican a la columna y los pies no se cambian.

Mantenga un paño húmedo y frío doblado sobre la frente durante este procedimiento, y enfríelo con frecuencia. Permita que el paciente tome tanta agua fresca como desee por medio de una pajuela doblada. Después de quitar el último fomento, frote la piel rápidamente con un paño humedecido en agua fría. Seque al paciente de inmediato y cúbralo con

Tres maneras de preparar fomentos: (1) Sumerja los paños en agua caliente y estrújelos; (2) caliéntelos, húmedos, en una olla de presión, y (3) coloque los paños húmedos en un horno de microondas.

una frazada para que no se enfríe. Después de haber terminado el tratamiento, permita que descanse por lo menos durante 30 minutos.

Calor y frío aplicados al pecho

Esta aplicación se parece al fomento, pero tiene una importante diferencia.

Beneficios. Ayuda en el tratamiento de los resfríos de pecho, la tos y la bronquitis. Estimula la respiración profunda.

Contraindicaciones. Incluyen: una cirugía reciente, pleuresía, pérdida de la sensibilidad y mala circulación. También se excluye a los niños de menos de doce años y a los pacientes que están paralíticos o inconscientes.

Procedimiento. Comience con un fomento al pecho como se describe más arriba. Cuando lo saque, seque inmediatamente el pecho. Pídale al paciente que haga una inspiración profunda y frótele el pecho enérgicamente con hielo abarcando la zona dos veces. Repita este procedimiento al final de cada aplicación.

En caso contrario siga los pasos indicados para el fomento.

Fricción con guante frío

Con este procedimiento se aplica frío con rapidez a cada sección de la piel, mediante un paño o un guante fríos.

Beneficios. La fricción con guante frío aumenta la resistencia al frío y la resistencia general del organismo. También aumenta la actividad de los fagocitos (glóbulos blancos) y la producción de anticuerpos. Este tratamiento estimula la circulación y es útil para terminar un fomento. Se lo puede usar asimismo para concluir la ducha matutina.

Contraindicaciones. No aplique este tratamiento cuando el paciente tiene frío; tampoco cuando tiene lesiones o erupciones en la piel.

Procedimiento. Una toallita de baño doblada en dos y cosida en dos de sus lados sirve de guante para aplicar este tratamiento. El paciente debe gozar de una temperatura agradable, estar desnudo y acostado entre dos frazadas livianas o toallas grandes de baño. Sumerja el guante en agua fría, escurra el exceso de agua y póngaselo en la mano. Comience por las extremidades, siga con el pecho y termine con la espalda. Frote vigorosamente la piel de un brazo durante cinco y ocho segundos. Seque el brazo inmediatamente y cúbralo para mantenerlo caliente. Siga con el otro brazo y luego con las piernas; termine con el pecho y la espalda. Ponga una compresa fría en la frente durante este procedimiento.

Fricción con guante caliente

La aplicación de este tratamiento es parecida a la de la fricción fría, sólo que se usa agua caliente. Este procedimiento es excelente para calentar a un paciente que tiene frío, y para producir relajación e inducir el sueño. No lo aplique cuando hay lesiones en la piel o cuando el paciente tiene mucho calor.

Compresas frías

Una compresa fría es un paño frío o helado aplicado a alguna parte del cuerpo. Disminuye el flujo de sangre en esa región, impide la congestión en una zona limitada y alivia el dolor provocado por una hinchazón o lesión. Cuando se lo aplica sobre el corazón, disminuye la frecuencia de los latidos.

Beneficios. Una compresa fría alivia el dolor y la hinchazón de un tobillo o una muñeca torcidos cuando se la aplica inmediatamente después del accidente. Alivia la congestión de los senos frontales y maxilares y los dolores de cabeza, disminuye la marcha del corazón en caso de taquicardia, y proporciona alivio cuando se lo

aplica a la frente si hay fiebre, o cuando se están empleando ciertos procedimientos para calentar el cuerpo.

Contraindicaciones. No se las debe emplear en pacientes diabéticos, con enfermedades de la piel, en los que tienen intolerancia al frío o están congelados.

Procedimiento. Use una toalla de mano común, chica, y dóblela hasta que tenga el tamaño deseado; mójela en agua fría o helada. Escurra el agua lo suficiente para que no gotee. Renuévela al cabo de dos a cinco minutos. Aplique firmemente la compresa a la frente del paciente, el tobillo, el corazón

Aplique rápidamente frío a la piel, sección por sección, empleando paños húmedos, o guantes.

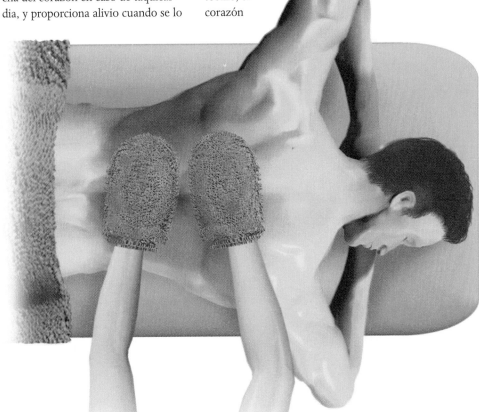

115

o lo que se desee. Asegúrese de que el paciente no tiene frío antes de comenzar.

Compresas calentadoras

Una compresa calentadora húmeda es una tela liviana mojada y fría, o bien varias capas de gasa mojada, aplicada a una parte determinada del cuerpo, cubierta con un trozo de lana (o de un material similar) y mantenida en su lugar por varias horas, para que el cuerpo primero caliente la compresa y luego la seque. Al principio produce contracción de los vasos sanguíneos, seguida de su dilatación. Según sea la ubicación y el tamaño de la compresa, puede producir calentamiento general y transpiración.

Beneficios. La compresa calentadora contribuye a aliviar el dolor agudo de garganta (faringitis, laringitis, tonsilitis); el dolor en las articulaciones producido por la artritis y la fiebre reumática; el resfrío de pecho, la tos, la bronquitis crónica y el asma. En caso de pleuresía use una compresa calentadora "seca".

Contraindicaciones. No aplique este tratamiento si el paciente no puede calentar la compresa (puede usar en cambio una lámpara térmica o una bolsa de agua caliente para facilitar el calentamiento). No permita que el paciente se enfríe. Si corre el riesgo de enfriarse, suspenda el tratamiento y use en cambio una compresa calentadora "seca".

Procedimiento. Las compresas calentadoras se pueden aplicar al cuello, el tobillo, la muñeca y otras partes del cuerpo. Sumerja en agua fría una tela de algodón y estrújela. Coloque rápidamente la tela en torno de la parte deseada, envuélvala con un trozo de lana (o algo similar) y abróchela con alfileres de gancho. Déjela allí por varias horas o toda la noche. Cuando la saque, limpie la zona con un paño húmedo frio y luego séquela bien.

El trozo de lana debe tener de 7 a 12 cm de ancho y debe ser unos 12 cm más largo que la tela de algodón. El largo y el ancho de los vendajes estarán determinados por su uso. Para una compresa en el cuello, la tela debería ser de 7 x 75 cm, mientras que el trozo de lana debería ser de 12 x 90 cm. Para el pecho, las telas deberían ser proporcionalmente más anchas y más largas. Fíjese siempre que la tela mojada fría esté bien cubierta por el trozo de lana seco.

E1 método para aplicar una compresa calentadora seca es el mismo

Se puede inhalar aire caliente y húmedo de un caldero con agua caliente, lo que reduce la congestión.

que se usa para la compresa calentadora húmeda, con la diferencia de que la tela de algodón no está majada, sino seca. Por ejemplo, si hay que aplicar una compresa calentadora seca en el pecho, se puede usar una camiseta delgada cubierta por un pullover de lana de mangas largas

Nebulizaciones (inhalaciones de vapor)

Este tratamiento le proporciona aire caliente y húmedo a las vías respiratorias, que alivia la inflamación y la congestión, afloja las secreciones, facilita la expectoración de materias provenientes de la garganta y los pulmones, y evita que se sequen las membranas del aparato respiratorio.

Beneficios. Las nebulizaciones alivian la tos y la congestión de la nariz, la garganta y los bronquios. Afloja las secreciones secas y espesas provenientes de las vías respiratorias, y suaviza la garganta cuando está irritada y seca.

Contraindicaciones. Es posible que los bebés, los niños pequeños y los ancianos no puedan soportar el calor.

Procedimiento. Hay varias maneras de proporcionarle al paciente aire caliente y húmedo. Existen vaporizadores en el comercio (nebulizadores), no muy caros y sí muy convenientes. Primero se llena un pequeño depósito con agua y acto seguido se enchufa el aparato a la corriente eléctrica. A los pocos minutos comienza a salir vapor por una pequeña abertura. La mayor parte de estos aparatos funciona por ocho horas seguidas o más. Se los puede colocar sobre el piso o en un banquito cerca de la cama. No deben estar al alcance de los niños, porque el vapor les puede quemar las manos. No es necesario que el paciente esté cubierto con una sábana o dentro de una tienda.

Si Ud. no tiene acceso a un vaporizador, puede hervir agua en la cocina e inhalar el vapor (tenga cuidado de no quemarse; no se acerque demasiado al agua hirviendo). También puede hacer hervir agua en una tetera (pava) sobre un calentador eléctrico instalado en el dormitorio. Si se desea inhalar vapor concentrado, el vapor del vaporizador o la tetera se puede dirigir al paciente mediante un periódico enrollado en forma de cono. Otra forma de concentrar el vapor consiste en levantar una "tienda" sobre la cama por medio de una sábana, para que el vapor se difunda dentro de ella.

Ud. puede medicar el agua con algunas gotas de aceite de pino o de eucalipto. Esto se hace especialmente cuando se dan nebulizaciones. Pero recuerde que hay personas alérgicas a estos aceites, especialmente al de pino.

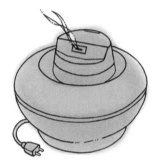

Un vaporizador comercial produce aire cálido y húmedo que alivia las vías respiratorias.

Duchas (baños de lluvia)

Una ducha es un dispositivo mediante el cual una cantidad de pequeños chorros de agua se dirigen bajo presión sobre una parte del cuerpo o sobre el cuerpo entero. Este es uno de los tratamientos hidroterápicos más sencillos y baratos que se pueden aplicar en el hogar. Según cuál sea la temperatu-

Las duchas calientes y frías son estimulantes.

del cuerpo por un minuto o dos. Para ello aumente gradualmente la temperatura del agua hasta donde pueda soportar, para cortar de repente el agua caliente, de manera que el agua fría caiga sobre la piel durante unos diez segundos. Con el tiempo la gente sana puede llegar a tolerar el agua fría cada vez por más tiempo. A algunos les gusta tomar una ducha caliente y terminarla con una fricción con guante frío. Se pueden tomar duchas frías por su acción estimulante.

Precauciones. Tenga un banquito a mano por si al paciente le parece que se va a desmayar. Hay que tener cuidado de que no se resbale ni caiga. No permita que se enfríe después de una ducha.

Baño de tina

La inmersión de todo el cuerpo en agua es un medio sencillo pero eficaz de alterar el funcionamiento de los principales sistemas del cuerpo. Un baño de inmersión en agua caliente aumenta la circulación general, eleva la temperatura del cuerpo y relaja. Un baño de tina graduable es eficaz para bajar la temperatura. Un baño neutro actúa como calmante.

Beneficios. Un baño caliente mejora la circulación general al aliviar la congestión de los órganos internos. Además, alivia la rigidez y el dolor de los músculos y disminuye la fatiga. Un baño graduable es eficaz para bajar la alta temperatura del cuerpo, como cuando hay fiebre. Un baño neutro contribuye a calmar a un paciente agitado, y alivia la tensión nerviosa.

Contraindicaciones. La gente

ra del agua, la ducha puede servir para relajar, estimular, calentar o refrescar. Puede mejorar la circulación general. Se puede usar con pacientes ambulatorios, y también sirve para los que pueden recibir la ducha mientras están sentados.

Beneficios. La ducha alivia el dolor de las magulladuras o los espasmos musculares. Puede calentar a una persona que se ha enfriado, o calentarla antes de una ducha fría. Es refrescante e higiénica. Alivia el resfrío común y la bronquitis.

Contraindicaciones. No debe darse a los cardíacos, a los que sufren de ateroesclerosis avanzada, de ciertas enfermedades renales, de tensión arterial elevada e hipertiroidismo. Una ducha fría está especialmente contraindicada para alguien que padece de reumatismo.

Procedimiento. Las duchas se pueden tomar de diversas maneras. Si alguien tiene mucho frío, una ducha tibia o caliente le elevará la temperatura. Las duchas calientes y frías son estimulantes. Antes de terminar la ducha ponga el agua a la temperatura

enferma del corazón y de las válvulas, con afecciones vasculares, con alta tensión arterial, con diabetes y cáncer, deberla evitar los baños calientes. Tampoco los toleran las personas de edad y los que están debilitados.

Procedimiento. Antes de un baño de tina caliente, consiga el consentimiento del médico del paciente La tina debe estar llena hasta los dos tercios con agua a 38° o 39,5°C.

Ayúdele a entrar a la tina. Pídale que se acueste para que el agua le cubra el pecho. Póngale una compresa fría en la frente y cúbrale las rodillas con una toalla (si quedan fuera del agua). Anímelo a tomar un vaso de agua. El primer baño no debería durar más de diez minutos, con una elevación de la temperatura de no más de un grado. Si hay buena tolerancia, los baños subsiguientes pueden ser más largos (pero no deben pasar los 20 minutos), con el agua a una temperatura algo más elevada (pero a no más de 41°C). Hay que vigilar a los pacientes, porque a veces se desmayan. Después del baño, séquelo muy bien y termine con una fricción con alcohol o con esponja fría. Durante el tratamiento tome el pulso y la temperatura del paciente cada cinco minutos.

En el caso del baño graduable, comience con el agua a 38°C. Mantenga esa temperatura por tres minutos, y luego bájela gradualmente con agua fría hasta llegar a 34°C por un período de cinco minutos. Si el paciente tolera el agua más fría, baje gradualmente la temperatura hasta los 32°C. Si siente frío o tiene escalofríos, frótele la piel constantemente con una toallita de baño. No permita que se enfríe. Cuando termine el baño, seque enseguida al paciente con todo esmero, y envuélvalo con una frazada abrigada.

Cuando se trata de un baño neutro, mantenga la temperatura del agua levemente por debajo de la del cuerpo, aproximadamente a 36°C, por lo menos durante 20 ó 30 minutos, y por más tiempo si lo tolera. No permita que el paciente se enfríe. Mantenga bien temperado el cuarto. Después del baño, seque bien al paciente, pero evite friccionarlo si no es necesario. No lo excite porque eso anula el efecto sedante del baño. Pídale que repose en cama después del baño por lo menos por 30 minutos.

Baño de asiento caliente (en la tina)

El paciente se sienta en la tina con el agua cubriéndole las piernas, las caderas y la parte inferior del tronco. La sangre fluye de la parte superior a la parte inferior del cuerpo, y de los órganos internos a la piel

Beneficios. Este tratamiento alivia la congestión de los bronquios y los senos frontales y maxilares, y el dolor de espalda y de la pelvis. Se lo puede usar para elevar la temperatura del cuerpo (fiebre artificial). En este baño el paciente puede tolerar una temperatura más alta porque sólo se sumerge una parte del cuerpo.

Contraindicaciones. No dé este baño a pacientes enfermos del corazón, con diabetes y ateroesclerosis, especialmente de las piernas y los pies

En un baño de asiento caliente la persona se sienta en la tina con el agua cubriéndole las piernas, las caderas y la parte inferior del tronco.

El baño de asiento caliente puede tomarse en una bañera. Note la compresa fría que se aplica a la frente.

Procedimiento. La persona se sienta en la tina con agua a una temperatura inicial de 38°C. Cúbrale con agua las piernas, las caderas y la parte inferior del tronco. Eleve gradualmente la temperatura del agua sacando parte de ella y añadiendo agua caliente en su lugar. Hay que elevar la temperatura al máximo posible, pero no debe pasar de 44°C. El baño debe durar de 5 a 20 minutos. Aplique una compresa fría a la frente, y cubra los hombros con una toalla seca. El baño puede terminar echando agua fría en la parte inferior del tronco y en las piernas, o por medio de un esponjamiento frío. Seque rápidamente al paciente. Cuando se ponga de pie, obsérvelo por si hay señales de desmayo. Tómele el pulso y la temperatura en la boca cada cinco minutos.

En otra versión del baño de asiento el paciente se sienta en un recipiente con agua caliente con los pies y las piernas afuera, pero con los pies dentro de una palangana con agua caliente. El agua del baño debe cubrir las caderas. El agua que cubre la pelvis se puede mantener a una temperatura más alta sin elevar por eso demasiado la temperatura del cuerpo. Los demás procedimientos son similares a los descritos en los párrafos anteriores. Se lo ha usado eficazmente para aliviar los calambres menstruales y como parte del tratamiento para inflamaciones de la pelvis.

Agua fría o compresas de hielo

La aplicación de agua fria o de una compresa de hielo ec una zona local o a parte de un miembro, contrae los vasos sanguineos, disminuye el flujo de sangre de una herida y previene el edema o hinchazón.

Beneficios. Este tratamiento disminuye la hinchazón producida por magulladuras y torceduras, y también proporciona alivio en dolencias como la fiebre reumática, la artritis reumatoide y la artritis infecciosa aguda. El agua helada o una compresa de hielo disminuyen también el dolor de una bursitis aguda y el de una articulación inflamada. El dolor y la hinchazón producidos por una quemadura pequeña también disminuyen con la aplicación de agua fría inmediatamente después de ocurrido el accidente.

Procedimiento. En la farmacia se pueden conseguir bolsas de hielo que son muy prácticas y convenientes. Pero también se puede emplear con éxito un método como el que sigue. Esparza hielo machacado sobre una toalla o un trozo de franela, y forme un cuadrado de unos 30 cm por lado, con una capa de hielo de unos 2 cm de espesor. La toalla o la tela deben estar dobladas y aseguradas con alfileres de gancho para que el hielo no se salga. Coloque la bolsa de hielo o la compresa sobre la parte que debe tratar. Cubra esa parte con plástico y envuélvala con una toalla. Observe periódicamente la piel para evitar daño a los tejidos. No permita que el agua del hielo moje la piel. Si hay tolerancia, se puede dejar la compresa en su lugar por medio de un vendaje. La aplicación puede continuar por 30 minutos. Después saque la compresa, seque bien al paciente y tápelo para mantenerlo abrigado.

Inmediatamente después de la torcedura de un tobillo o una muñeca se puede sumergir gradualmente la parte afectada en agua fría o helada. Si el paciente se queja de que el agua está demasiado fría, saque el miembro momentáneamente y luego vuelva a sumergirlo. Este tratamiento puede durar hasta 30 minutos, según sea la tolerancia del paciente. Estas aplicaciones pueden hacerse por 30 minutos cada 2 horas, hasta un máximo de 6 tratamientos.

En caso de una quemadura leve (dedo, mano, etc.), ponga la parte afectada en agua corriente fría, o bien sumérjala en agua con hielo hasta que se alivie el dolor, o durante 30 minutos.

Esponjamiento y fricción

El esponjamiento consiste en la aplicación de agua con una esponja, toallita o con la mano, con escasa fricción o sin ella. Un tratamiento en el que el agua u otro líquido (loción o crema) se aplican a mano descubierta,

> Inmediatamente después de la torcedura de un tobillo o una muñeca se puede sumergir gradualmente la parte afectada en agua fría o helada.

se denomina "fricción", aunque no se frote mucho.

Beneficios. Este tratamiento humedece la piel, alivia al paciente, disminuye la temperatura del cuerpo y baja la fiebre.

Procedimiento. Se usa generalmente una toallita mojada en agua fría, tibia o caliente, suficientemente estrujada para que no suelte agua. Se frotan levemente las diversas partes del cuerpo, hacia adelante y hacia atrás, hasta que se note que se han enfriado. Luego se seca suavemente cada parte, sin frotarla. Se usan esponjamientos calientes cuando hay fiebre con escalofríos, y se aplican en la misma forma con agua fría o tibia, pero con menos agua. Mantenga cubierto al paciente excepto la parte que debe esponjarse.

Cuando se aplica alcohol de friccionar a la piel con la mano, se evapora rápidamente y baja la temperatura del cuerpo.

Fricción con alcohol

Se fricciona la piel con alcohol y con la mano. El alcohol actúa como secante de la piel, porque precipita la proteína de las células superficiales. Se evapora con rapidez, y por eso baja la temperatura del cuerpo.

Beneficios. Este tratamiento refresca, baja la temperatura y refrigera al paciente. También fortalece la piel y es especialmente útil cuando se aplica a los puntos de presión para evitar las escaras (heridas de cama). Es muy eficaz para terminar procedimientos de calentamiento como la ducha caliente, los fomentos calientes, los baños de tina calientes, etc.

Contraindicaciones. No lo use con bebés ni niños pequeños porque

pueden absorber el alcohol por medio de la piel y los pulmones (vapor inhalado).

Procedimiento. Se puede comprar en la farmacia alcohol para fricciones (alcohol isopropílico). Nunca se debe usar con este fin alcohol de madera (alcohol metílico). Se puede usar en cambio alcohol común (alcohol etílico), pero conviene diluirlo al 70 por ciento. Se pone un poquito de alcohol en la palma de la mano y se frota rápidamente una parte de la piel del paciente. Use ambas manos para esparcir el alcohol por los brazos, las piernas, el tórax, el abdomen y la espalda. Mantenga tapado al paciente, salvo la parte donde está aplicando el alcohol.

La bolsa de agua caliente

Una bolsa de agua caliente es muy útil en el cuarto del enfermo. Su calor se puede aplicar a muchas partes del cuerpo.

Beneficios. La bolsa de agua caliente relaja, calienta y alivia la congestión y los dolores. También produce sueño. Puede aumentar la acción calentadora de un fomento caliente o una compresa calentadora.

Contraindicaciones. Nunca use una bolsa de agua caliente con pacientes cuyas sensaciones estén disminuidas, son paralíticos o están inconscientes, o cuya circulación sanguínea es deficiente.

Procedimiento. Ponga agua caliente (no hirviendo) en la bolsa, hasta llenar dos tercios de ella. Asegure levemente la tapa y expulse el aire apretando con suavidad hasta que el agua llegue al cuello de la bolsa. Luego cierre bien la tapa y ponga la bolsa boca abajo y sacúdala para asegurarse de que no hay filtraciones.

Póngala en una funda de franela u otro material similar, y aplíquela a la parte del enfermo que desea tratar. Nunca use sin protección la bolsa de agua caliente.

Aplicaciones de calor seco

Almohadilla calentadora eléctrica

Los usos y las contraindicaciones de una almohadilla calentadora eléctrica son similares a los de la bolsa de agua caliente. Las almohadillas vienen con un dispositivo para graduar la temperatura: calor suave, moderado o alto.

Calor radiante

El calor radiante proviene de las ondas infrarrojas largas producidas por una fuente de calor como ser un calentador eléctrico, una estufa de leña o una lámpara calentadora. Las ondas llegan a la piel, la calientan, y el calor penetra gradualmente hasta llegar a los tejidos más profundos.

Beneficios. Los tratamientos aplicados con almohadilla eléctrica son similares a los practicados con bolsas de agua caliente. En muchos casos el calor radiante beneficia a los enfermos de neuralgia, neuritis, artritis y sinusitis.

Contraindicaciones. Las mismas que para la bolsa de agua caliente.

Procedimiento. Estos aparatos se pueden conseguir en una tienda de artículos médicos. Pero un calentador eléctrico común, sin ventilador, es una excelente fuente de calor, lo mismo que una lámpara de rayos infrarrojos (convenientemente instalada). Estos artículos se pueden conseguir en cualquier negocio del ramo. El calor se puede aplicar por 30 minutos o más, teniendo cuidado de que la fuente de calor esté a una distancia adecuada de la parte del paciente que se desea tratar. No lo caliente demasiado, porque podría producirle quemaduras.

Una bolsa de agua caliente es muy útil en el cuarto del enfermo. Su calor se puede aplicar a muchas partes del cuerpo.

Baños de sol

En los baños de sol se exponen ciertas partes de la piel directamente a los rayos solares (radiación solar) durante diversos periodos. Las tres clases de ondas luminosas que produce el sol: ultravioletas, visibles e infrarrojas, tienen efectos diferentes sobre la piel y el cuerpo en general. La piel puede recibir beneficios o perjuicios, según sea la cantidad de tiempo que dure la exposición.

En los baños de sol, se exponen ciertas áreas de la piel a los rayos directos del sol.

Beneficios. La radiación solar endurece y espesa la piel, inicia la producción de vitamina D, mata las bacterias, modifica la actividad de ciertas glándulas endocrinas, y calienta y relaja los músculos. También es útil en el tratamiento de numerosas tuberculosis no pulmonares.

Contraindicaciones. Hay que evitar los baños de sol en caso de tuberculosis pulmonar y cuando el enfermo usa ciertas drogas que la piel podría fotosintetizar, con lo que se podrían producir algunos perjuicios. Por eso, si está tomando medicamentos, consulte a su médico antes de tomar baños de sol.

Procedimiento. En general, el baño de sol produce mejores resultados cuando se lo toma antes de las 9 y después de las 15. Exponga primero por cinco minutos a la luz solar directa una parte limitada de la piel, y observe al día siguiente si se han producido quemaduras. Si así ha sido, disminuya el periodo de exposición; si eso no ha sucedido, aumente la superficie de la zona expuesta y la duración de la exposición a razón de un minuto por día, exponiendo primero la parte delantera y después la espalda, por la misma cantidad de tiempo. No es necesario exponer la cabeza, y hay que proteger los ojos de la exposición directa a los rayos del sol. Hay que evitar que los pacientes se enfríen, se calienten demasiado o se expongan por mucho tiempo.

Se ha comprobado que 15 minutos de exposición a la luz solar, tres veces por semana, proporcionan toda la vitamina D que se necesita. Lamentablemente, las mismas ondas que activan la producción de la vitamina D también envejecen la piel y

producen cáncer. Por eso es necesario usar lociones protectoras o bronceadores que se pueden conseguir en la farmacia. Pero hay que recordar que las cromas y lociones protectoras bloquean eficazmente los rayos ultravioletas e impiden que penetren en la piel.

La gente de piel oscura necesita en promedio una exposición seis veces mayor para obtener el mismo beneficio fisiológico que obtienen las personas de tez clara. Los rubios, de ojos azules y piel blanca, son los más susceptibles a los efectos de la luz solar.

Lámparas solares (de rayos ultravioleta)

Si no es posible que un paciente tome baños de sol, pero desea disfrutar de sus beneficios, puede conseguir una lámpara solar (de rayos ultravioleta) en los negocios especializados en equipos médicos. Estas lámparas proveen el espectro de luz que se desea. Hay que seguir rigurosamente las instrucciones. Tenga cuidado con las pretensiones seudocientíficas de algunos fabricantes.

Los beneficios, las contraindicaciones y los procedimientos para su empleo son similares a los que corresponden a "baños de sol".

Los masajes

El masaje es un procedimiento que consiste en manipular los tejidos del cuerpo con propósitos curativos o higiénicos, y que se lleva a cabo con

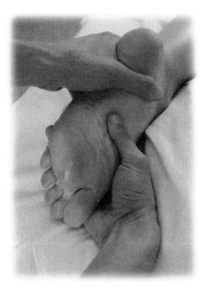

El masaje aplicado por un terapista calificado debe hacerse únicamente con el consentimiento del médico, y debe limitarse a las necesidades específicas del paciente.

las manos o con ciertos instrumentos. Los masajistas recurren a fricciones, frotamientos, amasamientos, vibraciones o percusiones. Aunque es natural que alguien se frote una parte del cuerpo cuando siente molestias, los

Se ha observado que quince minutos diarios de exposición al sol tres veces por semana provee toda la vitamina D que el cuerpo necesita.

masajes que se dan para el tratamiento de enfermedades o lesiones son demasiado complicados para que una persona se los aplique a sí misma, a menos que los haya aprendido. El masaje aplicado por un especialista debe hacerse únicamente con el consentimiento del médico, y debe limitarse a las necesidades específicas del paciente.

Relajación progresiva

A continuación presentamos algunos pasos sencillos que se pueden dar para aprender a relajar los músculos cuando están demasiado tensos. Cada sesión de aprendizaje debe durar unos 20 minutos. Una o dos sesiones por día son suficientes.

Paso 1. Póngase de espaldas sobre un colchón duro o sobre la alfombra del piso, con los brazos extendidos a los costados. Trate de estar tan cómodo como sea posible.

Paso 2. Relaje la mano derecha hasta la muñeca, si es diestro, o haga lo mismo con la izquierda, si es zurdo. Puede tomar un tiempo aprender esto. A algunos les parece que si aprietan el puño pueden "sentir" que los músculos se relajan. Cuando crea que ya domina este procedimiento, pídale a un amigo que le tome un dedo de esa mano y que la deje caer. Si no cae a plomo Ud. no está listo para dar el paso siguiente.

Paso 3. Ahora relaje la mano hasta la muñeca y el antebrazo hasta el codo. En cada paso verifique que si está realmente relajado. No se apresure. Le puede tomar varios días aprender los primeros pasos. Pero una vez aprendidos, dominará los siguientes con mayor rapidez.

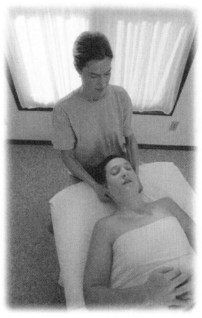

Paso 4. Ahora relaje la mano hasta la muñeca, el antebrazo hasta el codo y el brazo hasta el hombro. Con esto habrá aprendido a relajar una extremidad superior completa.

Paso 5. Una vez cumplido lo anterior, comience con el otro brazo: la mano hasta la muñeca, el antebrazo hasta el codo y el brazo hasta el hombro. Al final de cada sesión relaje juntos los dos brazos.

Paso 6. Comience con una de sus piernas: el pie hasta el tobillo, la pierna hasta la rodilla y el muslo hasta la cadera, y luego la pierna completa. A continuación relaje los dos brazos y esa pierna.

Paso 7. Relaje ahora la otra pierna en la misma forma. Luego relaje los dos brazos y las dos piernas.

Paso 8. Después concéntrese en la relajación de los músculos de la espalda. Luego relaje los mascarlos abdominales y los del tórax.

Paso 9. A continuación relaje los músculos del cuello, de manera que la cabeza quede totalmente relajada hasta el cuello y los hombros.

Paso 10. Los grupos de músculos que se deben relajar al final son los de la cara, el cuero cabelludo y la mandíbula inferior. Ahora Ud. está en condiciones de relajar todo el cuerpo.

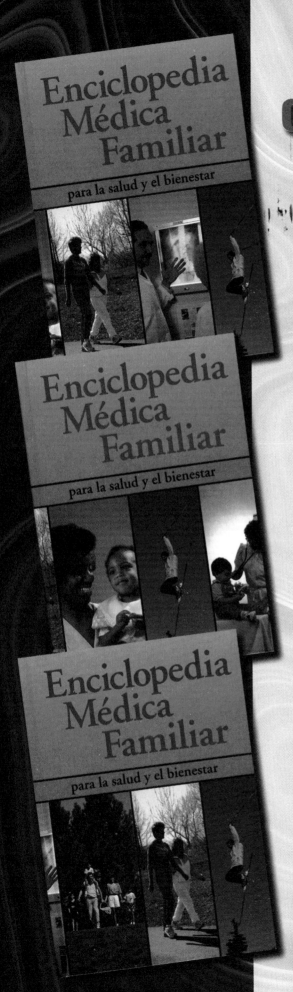

Su mejor defensa contra la enfermedad Enciclopedia Médica Familiar

Preparada por los doctores Mervyn Hardinge, M.D., Dr. P. H., Ph. D., y Harold Shryock, M.A., M.D., en consulta con especialistas en cada rama de la medicina, esta enciclopedia médica de tres tomos es un recurso actual e invalorable para satisfacer sus necesidades de salud.

Incluye:

- El papel del ejercicio y la nutrición que agregan años a su vida.
- Procedimientos de emergencia y primeros auxilios.
- Deficiencias nutricionales y desórdenes de la alimentación.
- Enfermedades infecciosas.
- Señales de peligro del cáncer y de las enfermedades del corazón.
- Los sistemas del cuerpo y sus desórdenes.

¡La *Enciclopedia Médica Familiar* puede ser la mejor inversión que usted jamás haga!

"Cualquier familia interesada en la mejor salud encontrará que estos volúmenes son una inversión valiosa. Le ayudarán a prevenir muchas enfermedades y muchos gastos médicos innecesarios". Willard G. Register, M.D., Sunnyvale, California.

Para mayor información, envíe la tarjeta prepagada, o escriba a Pacific Press® Marketing Service, P. O. Box 5353, Nampa, ID 83653

Las Mejores Historias para los Niños

Este juego de cinco tomos de historias contemporáneas, que apelan a los niños de hoy y satisfacen sus necesidades, contiene coloridas ilustraciones en durable tapa dura. Historias emocionantes y con fundamento moral que ayudan a los niños a relacionarse con asuntos como la oración, la autoestima, los temores, el sexo, la violencia, y muchos problemas más con los que se enfrentan en la sociedad actual. También disponible en inglés y en francés.

Las Bellas Historias de la Biblia

Esta colección clásica de diez tomos que ofrece más de 400 historias del libro más extraordinario que jamás se haya escrito, la Biblia, fue escrita además con el propósito de enseñar a su hijo lecciones de carácter moral, como son la honestidad, el respeto a los padres, la obediencia, la bondad, y muchas otras más. Cada tomo contiene hermosas ilustraciones en colores que le dan vida a cada historia. Esta es en verdad, la manera más agradable y efectiva de influir sobre el carácter de su hijo.

Mis Amigos de la Biblia
Para niños de edad preescolar

Imagínese la alegría de su niño cuando usted le lea la encantadora historia del burrito que llevó a la cansada María cuesta arriba hacia Belén; o la de Zaqueo, el engañador, que se subió a un árbol de sicómoro para ver pasar a Jesús. Cada libro contiene cuatro historias de la Biblia que les encantarán a sus niños ya que están escritas en forma clara, sencilla y fácil de entender. Las ilustraciones a todo color son nítidas y de la más alta calidad posible. Ningún otro juego de libros para niños los supera. En tapa dura, a todo color, cinco tomos.

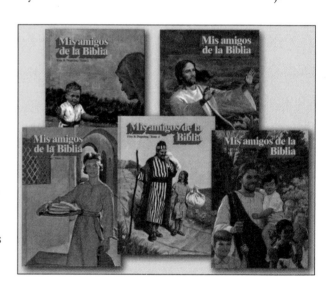

Vida Dinámica
Salud y vigor para toda la familia

Vida dinámica es una obra científica moderna que trata con autorizada claridad los temas más importantes y de mayor interés referentes a la salud. La información que contiene no sólo es fácil de comprender, sino de comprobada utilidad y aplicación práctica a la vida de toda persona que decide aceptarla como base de un nuevo estilo de vida. Después de leerla y de seguir sus instrucciones, ¡usted sentirá la diferencia, y sus amigos lo comentarán al admirar su figura!

Para más información, envíe el cupón adjunto, o escriba a:
Pacific Press Marketing Service, P.O. Box 5353, Nampa, ID 83653.

SÍ, POR FAVOR ENVÍENME INFORMACIÓN SOBRE LO SIGUIENTE:

❑ Las Mejores Historias Para los Niños
❑ Las Bellas Historias de la Biblia
❑ Mis Amigos de la Biblia
❑ Vida Dinámica
❑ Enciclopedia Médica Familiar

Nombre_____

Dirección_____

Ciudad_____

Estado_____

Código Postal_____

Teléfono (   )_____

SÍ, POR FAVOR ENVÍENME INFORMACIÓN SOBRE LO SIGUIENTE:

❑ Las Mejores Historias Para los Niños
❑ Las Bellas Historias de la Biblia
❑ Mis Amigos de la Biblia
❑ Vida Dinámica
❑ Enciclopedia Médica Familiar

Nombre_____

Dirección_____

Ciudad_____

Estado_____

Código Postal_____

Teléfono (   )_____

BUSINESS REPLY MAIL

FIRST-CLASS MAIL PERMIT NO. 300 NAMPA ID

POSTAGE WILL BE PAID BY ADDRESSEE

PACIFIC PRESS® PUBLISHING ASSOCIATION
MARKETING SERVICE
PO BOX 5353
NAMPA ID 83653-9903

NO POSTAGE
NECESSARY
IF MAILED
IN THE
UNITED STATES

BUSINESS REPLY MAIL

FIRST-CLASS MAIL PERMIT NO. 300 NAMPA ID

POSTAGE WILL BE PAID BY ADDRESSEE

PACIFIC PRESS® PUBLISHING ASSOCIATION
MARKETING SERVICE
PO BOX 5353
NAMPA ID 83653-9903